écrire

LES CHEMINS
DE L'ÉCRITURE

BERTRAND B. LEBLANC

LES CHEMINS
DE L'ÉCRITURE

ÉDITIONS TROIS-PISTOLES

Éditions Trois-Pistoles
31, Route Nationale Est
Paroisse Notre-Dame-des-Neiges (Québec)
G0L 4K0
Téléphone : 418-851-8888
Télécopieur : 418-851-8888
C. élect. : ecrivain@quebectel.com

Révision : Monique Thouin, Victor-Lévy Beaulieu
Infographie et couverture : Roger Des Roches
Photo de la couverture : Gilles Gaudreault

Les Éditions Trois-Pistoles bénéficient des programmes d'aide à la
publication du Conseil des Arts du Canada, du ministère du Patri-
moine (PADIÉ), de la Société de développement des entreprises culturelles du Québec (SODEC) et du programme de crédit d'impôt pour
l'édition de livres du gouvernement du Québec (gestion Sodec).

EN EUROPE (COMPTOIR DE VENTES)
Librairie du Québec
30, rue Gay Lussac
75005 Paris, France
Téléphone :   43 54 49 02
Télécopieur :   43 54 39 15

ISBN 2-89583-070-3
Dépôt légal : Bibliothèque nationale du Québec, 2003
Dépôt légal : Bibliothèque nationale du Canada, 2003

Un livre n'est pas comme un homme,
il ne peut jamais se renier.

MICHEL DE ST-PIERRE

Je sais que la dignité ne s'apprend pas
dans les livres. Innombrables sont
les hommes cultivés et cependant indignes.

JEAN GUÉHENNO

Pourquoi, à l'âge où Alain Fournier, Louis Hémon, Villon, André Chénier, Apollinaire, du Bellay, Pascal, Péguy, Rimbaud, Garcia Lorca, Jules Goncourt, Kafka, Saint-Exupéry, Vian, Shelby, Pouchkine, étaient déjà morts et où Gogol, Wilde, Maupassant, Tchékhov n'avaient plus qu'une année ou deux devant eux, me suis-je mis à écrire? En tout cas, pas pour changer le monde. Je sais trop combien les livres qui ont pu provoquer certaines mutations chez l'éternel mutant qu'est l'homme sont rares, pour avoir ce genre de présomption. D'ailleurs, la *Bible,* les *Védas,* le *Coran,* les *Épîtres* de saint Paul, la *Confession* d'Augsbourg, *Le Prince, De l'origine des espèces, Le Capital,* le *Mein Kampf,* s'apparentent davantage à l'essai ou au traité qu'à la grande littérature. Je confesse que le *Cantique des*

Cantiques est un poème sublime encore que je lui préfère *Le Prophète* de Gibran. Quant au Deutéronome et aux Nombres, il faudrait beaucoup solliciter le texte pour y voir de la littérature. La *Nouvelle Héloïse* a sans doute aidé à chasser le scepticisme de la littérature et un peu des mœurs, le libertinage agnostique qui teintait le XVIIIᵉ siècle finissant, mais c'est aujourd'hui illisible. Voltaire et les Encyclopédistes ont puissamment concouru au sapage de la monarchie française et semé les germes de la démocratie contemporaine, mais les lire maintenant relève du pensum. *La Condition humaine* a certainement inspiré toute une génération de lecteurs, *l'Être et le Néant* de même, mais Fleming découvrant la pénicilline, Banting révélant l'insuline, les travaux épidémiologiques d'un Pasteur ou d'un Roux, l'altruisme d'un Henri Dunant, la charité agissante d'un Vincent de Paul ont fait bien davantage pour l'humanité que le meilleur roman de Balzac ou la pièce la plus percutante de Shakespeare. Il convient donc de toiser la littérature à l'aune de l'humilité et ne pas trop déifier ses prêtres. Ils ont parfois du talent, rarement du génie et sont au mieux les artisans, parfois les artistes d'un divertissement plus souvent qu'autrement inutile. Encore heureux quand le livre renseigne, fait réfléchir et change le lecteur pour le mieux. En conséquence, penser écrire l'ouvrage qui traversera les siècles avec une pertinence et une actualité toujours renouvelées, serait, en tout cas pour moi, un rêve aussi fou que vain. D'ailleurs, combien de livres dans l'histoire de l'humanité ont subi cette usure avec succès ? Une poignée !

Il faudrait pour y arriver avoir du génie, une connaissance insondable des êtres et des choses, la capacité de rassembler des forces centrifuges qui, à l'image de l'univers, tendent trop vers l'infini. Une fois ce constat fait, on s'habille d'une modestie mieux séante à sa taille et on ne rêve plus de se mesurer aux géants. Voilà pourquoi dans mes moments d'euphorie, je me dis que, peut-être, certaines de mes pages seront encore au programme de quelques écoles dans un quart, idéalement un demi-siècle.

Ce serait déjà prolonger ma course terrestre d'une rallonge inespérée. En conséquence, j'écris pour me faire plaisir et tant mieux si ça plaît à quelques milliers de lecteurs. Je n'en demande pas plus. Et si, par hasard, un anthropologue du XXIIe siècle ouvrait *Moi Ovide Leblanc j'ai pour mon dire* pour voir comment vivaient les bûcherons du début du XXe siècle, ou les séminaristes de *Horace ou l'art de porter la redingote*, je serais tout à fait comblé.

Mais d'abord, comment cette merveilleuse aventure a-t-elle commencé? Par hasard, à la suite d'un défi plutôt farfelu. Il est vrai que j'ai toujours aimé écrire. Au collège de Rimouski où j'ai fait mes humanités gréco-latines sous la gouverne de grands professeurs comme messeigneurs Dionne et Fortin, les abbés Beaulieu, Talbot et Jean-Paul Tremblay, à qui je dois le goût de la littérature et la passion du beau, j'ai toujours affectionné un bon livre et vu venir avec impatience le jour de la dissertation. Mon problème a cependant toujours été de me borner alors aux trois pages prescrites.

Les professeurs aimaient la concision, une vertu toujours estimable, et détestaient le vasage. Quand on songe à la quarantaine de copies qu'ils devaient lire, annoter, corriger, on peut les comprendre. Je sais bien que le discours de Lincoln à Gettysburg est un chef-d'œuvre. Je sais aussi qu'il faisait à peine une page mais, en ce qui me concerne, et c'est là le problème, j'en aurais pris dix et, diluant le propos, j'aurais peut-être rédigé un bon discours, mais certainement pas un chef-d'œuvre.

Une fois sorti du collège, j'ai continué d'écrire de longues lettres à certains confrères et surtout aux demoiselles que je tentais désespérément de séduire en jouant ce que je considérais mon meilleur atout. Plus facile de peaufiner une élégie dans le secret de son studio que de bredouiller le compliment devant l'objet de sa flamme. Ma femme a ainsi accumulé une liasse impressionnante de propos énamourés jusqu'au jour où, lui ayant fait un coup de cochon mieux réussi qu'à l'accoutumée, elle a jeté le tout à la flamme lustrale du foyer. Quel dommage! À côté de ces petits chefs-d'œuvre, les épîtres de la mère Sévigné, c'est de la roupie de batracien!

Il m'arrivait également d'écrire une conférence pour les membres d'une Chambre de commerce, d'un club Lion ou Richelieu. Je tiens toutefois à préciser que je n'ai lu mon texte qu'une seule fois. Après cette expérience qui, je l'espère, a été moins pénible pour les auditeurs que pour moi, j'ai toujours fait en sorte d'avoir le texte dans la tête plutôt que la tête dans le texte. Mais rien de tout cela ne me prédisposait à la littérature, à la vraie littérature: celle qui se traduit par la parution d'un livre. Je n'y pensais même pas et y aurais-je pensé que je ne me serais jamais cru assez de souffle pour noircir deux ou trois cents pages de texte. Ajoutons à cela que la loi du moindre effort a souvent été une règle de vie: *Que sert à l'homme de gagner l'univers, s'il vient à perdre son âme?*, et l'on comprendra combien je me sentais loin d'un monde qui, tout en me fascinant, paraissait à des années-lumière de moi. J'étais d'ailleurs plongé jusqu'au cou dans les affaires et s'il y a un monde où la poésie et la fiction n'ont pas cours, c'est bien celui-là.

En résumé donc, quelqu'un m'aurait dit que j'aurais, un jour, une trentaine de livres à mon actif, je lui aurais recommandé de voir un psychiatre dans les plus brefs délais. Mais le hasard, ainsi que je le mentionnais plus haut, veillait. Il avait pris la forme de deux amis avec qui j'allais régulièrement voir les Expos au parc Jarry. J'avais beaucoup pratiqué ce sport et je le suivais toujours. Je le connaissais bien également. J'en savais l'histoire. Je pouvais énumérer les statistiques des vedettes, décliner les frappeurs de trois mille coups sûrs, ceux de quatre cents circuits, ceux qui avaient produit quinze cents points et plus, les lanceurs de trois cents victoires, ceux de trois mille retraits au bâton, etc., etc. Forcément, je posais à l'expert et je me désolais de voir tant de gens venir au baseball sans à peu près rien y comprendre et perdre ainsi la substantifique moelle d'un sport aussi noble. Pourquoi Aaron frappait-il au troisième rang, Mathews juste derrière lui, suivi de Adcock ; pourquoi Lou Brock frappait-il au premier plutôt qu'au troisième ou quatrième rang ? Pourquoi un coup retenu ici, un frappe et court là ? Pourquoi un but sur balles intentionnel ? Et les signaux, et les sortes de balles et la zone des prises et tout le saint-frusquin ? En résumé, les gens me paraissaient d'une ignorance crasse et je le déplorais partie après partie. Assez pour lasser mes amis qui me dirent un jour d'écrire un guide. Les gens l'achèteraient, apprendraient le baseball et moi, je cesserais de leur casser les oreilles avec mes leçons. Évidemment, j'ai bien ri de la suggestion et protesté qu'un livre ne s'écrit pas comme on se gratte les couilles, qu'il faut du talent, du souffle, un éditeur, bref, les excuses classiques du trouillard qui, s'étant mis les pieds dans les plats, cherche à se dépêtrer. Mais je n'arrêtais toujours pas de critiquer et mes amis de me mettre au défi d'écrire le livre. Jusqu'au jour de juillet 1967 où je leur dis : « Vous l'aurez voulu ! » Aussi abracadabrant que cela puisse paraître, c'est ainsi que je suis entré en littérature. Pour n'en plus sortir, même si je continuais à brasser des affaires. Belle dichotomie, en effet, mais je n'en suis plus depuis très longtemps à une contradiction près. Ne peut-on pas aimer à la fois la chasse aux outardes et l'opéra, une toile de Riopelle et un hot dog relish-moutarde ? N'y a-t-il pas dans tout homme normal, à la fois du docteur Jekyll et du monsieur Hyde ?

Je me mis donc à la rédaction du livre et quand j'eus terminé, j'appelai Alain Stanké qui, avec une hauteur souveraine et un mépris à peine voilé, me dit qu'il ne se commettait pas dans ce genre de trivialité. Ce qui ne l'empêchait pas de faire d'assez jolies pitreries pour mettre de pauvres gens en boîte dans une émission de télévision dont j'ai oublié le titre, mais dont Béliveau a plus tard amélioré la formule. Enfin… Je tentai alors ma chance avec Jacques Hébert qui me demanda de lui apporter mon texte. Il commença de le lire devant moi, corrigea ostensiblement quelques fautes, histoire de me faire voir que c'était lui le patron de la

boîte, puis, au bout d'une dizaine de minutes, il s'arrêta pour me dire que le début
l'intéressait assez pour continuer la lecture.
«Donnez-moi quelques jours et je vous rappelle.» Ce qu'il fit pour me dire que c'était
bien écrit mais que, malheureusement, il ne
connaissait rien au baseball. Il ferait donc
lire le manuscrit à un ancien confrère de
classe (un monsieur Cardinal, je crois, qui
était à l'emploi des Expos), avant de s'en-
gager plus avant.

Je saluai et retournai à mes affaires,
convaincu que je venais d'assister à une belle
démonstration sur l'art d'évincer un im-
portun. Pourtant, l'accueil ayant été tout à
fait correct, je ne désespérai pas. J'ai toujours été un optimiste incurable. Et puis,
j'avais beaucoup de considération pour monsieur Hébert que j'avais entendu à Amqui
alors qu'il donnait une conférence sur un
des voyages qu'il avait faits en Asie avec
Pierre Elliot Trudeau. Au moins, me disais-
je, cette aventure m'aura donné l'occasion
de rencontrer un personnage québécois. À
part les ministres et les premiers ministres

que j'avais rencontrés pour les affaires de la compagnie, Roland Chenail que j'avais aidé alors qu'il était tombé en panne le long de la rivière Cascapédia où il recherchait des agates, et Gisèle Schmidt qu'on m'avait présentée au Pic-de-l'Aurore et qui avait eu l'amabilité de passer un moment avec ma femme et moi, je fréquentais très peu dans le grand monde. Si quelqu'un m'avait dit alors que vingt ans plus tard, Gisèle jouerait une de mes pièces plus de trois cent cinquante fois, je crois bien que je serais mort de rire.

Jacques Hébert ne m'avait cependant pas oublié. Une dizaine de jours plus tard, il me rappelait pour me dire que son ami des Expos lui recommandait chaleureusement de publier le premier véritable guide du base-ball de langue française, et me conviait à venir signer un contrat. C'est alors que j'appris avec stupeur qu'un auteur touche seulement dix pour cent de droits sur ses œuvres. Je protestai vigoureusement contre un traitement aussi mesquin. Pour me convaincre que c'était la règle partout admise et qu'il ne m'exploitait pas du tout, l'éditeur me révéla la partie congrue qui lui restait et la part royale que se gardaient le distributeur (trente ou trente-cinq pour cent) et le libraire (trente-cinq ou quarante pour cent). Je ne pus m'empêcher de conclure que c'était là un partage ridicule, l'auteur mettant des mois, parfois des années à rédiger un texte sans même la garantie de le voir publier, et l'éditeur risquant ses sous et sa réputation pour moins du tiers de la valeur du produit fini, alors qu'une compagnie juive, en l'occurrence Benjamin News (Vive le Québec libre), et des libraires dont certains écrivent au son, se gardaient la part du lion. En guise d'excuse, Hébert me dit: «Monsieur Leblanc, nous ne sommes pas comme vous des hommes d'affaires.» Je ne pus m'empêcher de lui répondre: «Est-ce bien utile de le préciser?» Il se mit à rire et moi, dès lors assuré qu'il avait un certain sens de l'humour, je continuai la démonstration.

Le coursier de la maison arrivait d'ailleurs à point nommé pour illustrer mon propos. Monsieur Hébert lui remit un livre à porter à un libraire de la rue Atwater. Je demandai s'il y allait à bicyclette. « Non, de se récrier l'éditeur, nous avons quand même un camion.» Il venait de s'enferrer davantage mais, bon prince, je me contentai de sourire. Il n'en reste pas moins que le simple démarrage du camion venait de bouffer son profit. «Si nous parlions de votre livre? — Volontiers, mais permettez que je termine.» Et de demander à mon hôte pourquoi ne pas éliminer une centaine de maisons d'édition besogneuses, d'en regrouper dix ou quinze en un bloc solide, de se donner un réseau de distribution adéquat, en un mot, de s'organiser, se discipliner et faire des sous. Est-il essentiel que les travailleurs culturels soient des apôtres émaciés et des ascètes de l'esprit? Un peu agacé, on le serait à moins, Hébert coupa court en me disant qu'il n'avait pas le temps de m'expliquer les rouages de l'édition et nous revînmes à mon livre. Pour lui trouver un titre. Je suggérai *Baseball/Montréal.* «Va pour Baseball/Montréal.» Qui était un titre pitoyable, parce qu'il suggérait l'histoire de la venue des Expos à

Montréal (ce qui n'intéressait personne), alors qu'il n'en était pas du tout question. On aurait tout bonnement dû l'intituler *Le Guide du baseball*, ce qu'il était.

Puis vint le nom de l'auteur. «*Bill Leblanc*» que je lui dis. «C'est pas un nom, ça. — C'est pourtant le mien. — C'est pour Guillaume, ou pour William? — Pas du tout. Ça vient d'un film, *The Plainsman,* dans lequel Gary Cooper personnifiait Wild Bill Hickock.» Et de lui raconter que dans le film, Calamity Jane pourchassait le Bill qui la repoussait systématiquement : il préférait le tord-boyaux et la bagarre. En désespoir de cause, elle le quittait en se lamentant : «Bill, tête de mule.» Et comme j'ai moi-même une tête de mule, mes sœurs commencèrent à me traiter de Bill tête de mule. À la longue, la tête de mule tomba, mais le Bill resta. «Et voilà! — Mais, vous avez bien été baptisé? — Mais oui! Joseph-Thomas-Bertrand. — Bon! Ça, c'est un nom chrétien!» Je m'attendais donc à ce que le livre soit signé Bertrand Leblanc (au risque que personne ne me reconnaisse puisque, depuis vingt-cinq ans, tout le monde m'appelait Bill), mais à ma grande surprise, l'éditeur ajouta un B. à Bertrand. Par-dessus le marché sans trait d'union! Et c'est ainsi que depuis, je suis resté Bill pour les amis et Bertrand B. pour les gens qui lisent et vont au théâtre.

Restait à décider du tirage. Je partis alors d'une savante démonstration pour prouver qu'on devait tirer à cinquante mille exemplaires! Mais oui! Il y a deux millions d'amateurs qui suivent les Expos et la plupart ignorent tout du baseball. Supposons que la curiosité ou le besoin de se déniaiser s'emparent de dix pour cent d'entre eux, cela fait bien deux cent mille lecteurs! Tout de même réaliste, un homme d'affaires ne l'est-il pas d'emblée, je divise par quatre, ce qui donne bien cinquante mille.

Monsieur Lespérance, responsable des ventes, qui avait assisté à la rencontre sans y participer beaucoup, se contentant plus souvent qu'autrement de sourire à mes théories inédites, entra alors en action. Il était sans doute là pour tempérer la générosité de Jacques Hébert et en même temps, mettre quelques bémols à mon enthousiasme. C'était à son tour d'élaborer sa stratégie et de donner le cours d'un vieux professeur pour qui l'édition n'a plus de secrets. Il me confia donc qu'un livre s'adressant à une équipe plutôt qu'à un individu n'est habituellement pas un bon vendeur. Faites un livre sur le ski, sur le golf, sur la pétanque, sur le billard, un livre où celui qui pratique ces sports pensera trouver un conseil judicieux lui permettant d'améliorer sa technique, et il l'achètera. Les sports d'équipe... Il fit une moue que Jacques Hébert interpréta comme un conseil à la prudence. «Nous allons en éditer vingt mille et si vous avez raison, nous ferons autant de rééditions que cela sera nécessaire.» L'espérance avait raison. On en vendit douze mille. En tout cas, les Éditions du Jour me payèrent pour douze mille. Après la débâcle de cette excellente maison où les auteurs étaient traités avec les plus délicates attentions, récupérer ses droits d'auteur devint une aventure aussi problématique qu'aléatoire. Fermons la parenthèse…

Pour prouver jusqu'à quel point monsieur Lespérance avait raison, le *Guide du Chasseur* qu'on me demanda l'année suivante fut réédité à cinq ou six reprises. Peut-être plus, parce que les successeurs de Jacques Hébert gardaient pour eux ces détails administratifs… Refermons la parenthèse, cette fois définitivement. Il faut cependant préciser que le tirage initial du *Guide du Chasseur* était plus modeste que celui de *Baseball/Montréal:* cinq mille exemplaires, les rééditions, trois mille, je crois.

Je n'en étais pas moins déçu. Sans doute parce que j'ai toujours eu un appétit boulimique. On dut m'expliquer qu'au Québec, sauf si vous êtes un Tremblay, un Beauchemin, un Beaulieu, une Laberge, une Maillet, douze mille livres vendus dans le cas de *Baseball/Montréal,* plus de vingt mille dans le cas du *Guide du Chasseur,* étaient un beau succès et que bien des auteurs souhaiteraient une pareille réussite. Mais je continuai de faire la fine bouche. Pas surprenant, disais-je, les Québécois ne lisent pas. «Au contraire, cher ami, nous sommes un des peuples qui lisent le plus au monde. — Oua… le borgne qui se compare à l'aveugle… Comme consolation…» Pour me requinquer, peut-être, Victor-Lévy Beaulieu me demanda d'écrire un *Guide du Pêcheur*.

Lévy était en effet directeur littéraire chez Hébert. Comme toute maison qui se respecte, les Éditions du Jour avaient aussi un comité de lecteurs. Un jour que j'étais venu saluer Hébert, ils étaient justement réunis et, pour la première fois, j'entendis à travers les murs un rire plus sonore encore que celui de Nelligan. C'était Jean-Marie Poupart! Un homme avec un rire aussi franc ne pouvait que devenir mon ami. Un peu plus tard, quand les Éditions du Jour changèrent de direction, c'est lui qui me suggéra d'aller voir le gros Dubé, chez Leméac. Il écrira également la préface de *Joseph-Philémon Sanschagrin*. Il lui fallait beaucoup d'amitié et plus encore de générosité pour se faire l'hagiographe d'une pièce qui ne méritait surtout pas autant de bienveillance.

Lévy était beaucoup moins flamboyant que Poupart. Très réservé, presque timide, de moins à ce qu'il me parut alors. Il a bien changé… mais je crois qu'il a dû se faire un peu violence pour en arriver à prendre position aussi vigoureusement et défendre avec autant de panache ses convictions, la ruralité et le droit pour un petit peuple de ne pas se contenter toujours de la portion congrue. Quand il quitta les Éditions du Jour, nos contacts qui n'avaient toutefois été que professionnels, se terminèrent là. Comme tout le monde, je me contentai de suivre sa prodigieuse carrière à la télévision, passant près à quelques reprises d'aller le visiter avec Yvan Canuel, en parlant souvent avec Gilles Pelletier et Aubert Pallascio qui jouaient mes pièces et ses téléromans. Le décès prématuré d'Yves Dubé coupant les ponts que j'avais avec Leméac, lui-même à la retraite, m'amena tout naturellement à soumettre mon dernier roman à un éditeur de mon coin de pays. Entre paysans, on devrait pouvoir s'entendre plus facilement qu'avec des Montréalistes incapables de regarder plus loin que le pont Jacques-Cartier et considérant, du moins dans les faits, que tout ce qui se fait en dehors de la métropole est inexistant.

J'avais donc refusé la proposition de Victor-Lévy d'écrire un autre livre sur les sports. «Vous ne ferez pas de moi la sœur Berthe des sports.» Jugement sans appel, qui apparemment déçut un peu Lévy. Aussi enchaînai-je pour lui dire que j'avais le goût d'aller un peu plus loin. En premier lieu, l'écriture d'un guide sur un sport quel-conque, ce n'est pas de la littérature. Après tout, il s'agit de connaître la matière et d'écrire un texte accessible à l'utilisateur. C'est à la portée de n'importe quel profes-seur, de n'importe quel scientifique, de n'im-porte quel artisan. Mais ce n'est pas de la littérature, aussi bien écrit que ça puisse être. Non, un livre, un vrai, doit faire leur part à l'imagination, à la créativité, au souffle, aux ressorts humains.

«Fort bien, me dit Lévy, mais qu'est-ce que vous avez l'intention d'écrire? — Un livre sur les collèges classiques.» Reportons-nous à l'époque, (*Horace ou l'art de porter la redingote* a été publié en 1974). Les collèges classiques tels qu'ils avaient existé depuis la Conquête entraient définitivement dans l'oblitération et pourtant… S'ils avaient produit (pour ne parler que des politiciens), des Papineau, des Lafontaine, des Cartier, des Laurier, des Chapais, des Gouin, des Taschereau, des Saint-Laurent, des Trudeau, des Lévesque et des Gérin-Lajoie, qui avaient précisément creusé la sape de l'édifice apparemment indestructible des curés, il ne devait pas y avoir que du mauvais dans cette institution. Et elle n'avait pas dû former que des abrutis. Personnellement je trouvais, tout anticlérical étais-je, qu'il était pour le moins cavalier de rendre le clergé et son système responsables de tous nos déboires. Je trouvais infiniment plus pertinent et surtout plus courageux de contester l'autorité alors qu'elle était souveraine, que de casser du sucre sur le dos de l'Église québécoise alors qu'elle s'en allait en quenouille. En un mot, je me disais que le temps était venu de donner un large coup de chapeau à des gens qui avaient formé ceux qui nous avaient permis de survivre et d'atteindre une taille que des milieux mieux renseignés et moins tatillons, nous enviaient. Après tout, notre petite race de vaincus s'était affirmée au point d'obtenir le Gouvernement responsable, d'être partenaires de la Constitution, de donner un Premier ministre au Canada dès 1901, d'avoir un poids démographique et politique avec lequel le vainqueur devait composer. Bref, nous n'étions pas tout à fait des ilotes et il fallait compter avec nous. Or, l'immense majorité des gens qui avaient permis cette réussite étaient des produits de cours classique. Pourquoi ne pas le reconnaître honnêtement et rendre à César ce qui est à César?

Il y avait bien eu un obscur curé dont j'ai oublié le nom, qui avait écrit sur les collèges classiques un roman dont le titre était, je crois, *Jean-Paul*. Une hagiographie édifiante, biaisée et au demeurant dénuée de saveur. Et bien loin de la réalité. En somme un livre aussi édifiant qu'inutile. Dans ses souvenirs, Paul-Émile Lapalme avait tenu des propos infiniment plus pertinents, mais qui ne décrivaient pas vraiment l'atmosphère et les coulisses du cours classique. Qui était bien loin de ce que les gens n'y ayant jamais vécu pensaient. À la lecture d'*Horace*, une de mes tantes s'était écriée : « Et dire que nous leur avons confié nos enfants en pensant qu'ils vivaient en odeur de sainteté au séminaire. »

Présomptueux, sans doute, je m'étais dit qu'il fallait remettre les pendules à l'heure et rendre un témoignage équitable à ces nombreux prêtres qui, pour des salaires dérisoires, avaient consacré leur vie à l'éducation des jeunes Québécois assez chanceux pour entrer dans leurs écoles. En passant, avec l'argent ainsi économisé, Duplessis pouvait bâtir des routes, des écoles, des hôpitaux, électrifier les campagnes et commencer l'industrialisation de la province. A-t-on pensé à ce qu'il n'aurait pas pu faire s'il lui avait fallu payer des enseignants cinq mille piastres par année plutôt que trois cents ? On n'a qu'à regarder les chiffres d'aujourd'hui, même avec toute la pondération qui s'impose, pour avoir la réponse. Un fait est certain en tout cas : sans ces économies obtenues en flattant l'épiscopat, en lui garrochant de l'illustrissime révérendissime à tour de bras, en lui faisant asperger tous les nouveaux ponts de la province, Duplessis aurait dû l'endetter ou sabrer considérablement dans ses programmes de développement.

Bref, c'est de ces réflexions qu'est née l'idée de *Horace ou l'art de porter la redingote*. Mais plus important encore pour moi, c'est de cette expérience que la piqûre m'est venue. Après une dizaine de titres, la parution d'un livre devient un événement anodin, un peu, j'imagine, comme un père de famille accueille un dixième enfant. Mais le premier ! Voir son nom sur la page frontispice d'un bouquin ! Voir les gens vous saluer comme une sorte de prodige. La rareté, sans doute… Ranger son petit ouvrage sur les rayons de la bibliothèque. Même s'il est un grain de sable dans l'ensemble, cela, qu'on l'avoue ou pas, donne une sensation indescriptible. Je me rappelle un professeur qui glosait Dollard Cyr, un élève, qui avait écrit sur l'île d'Anticosti un ouvrage que les Tracts avaient publié. «Il est auteur, messieurs. Il est auteur!» Avec toute l'ironie dont un imbécile peut être capable… J'imagine la peine qu'il faisait à ce pauvre petit diable. Avec un pareil encouragement, est-il surprenant qu'il n'ait plus jamais rien publié? De toute façon, après mon premier livre, impossible de ne plus écrire. À telle enseigne qu'à cinquante-deux ans, je quittais définitivement les affaires pour me consacrer désormais à ma grande passion.

Il y avait sans doute d'autres raisons que mon goût des lettres pour motiver une pareille décision, mais le besoin de noircir du papier a sans doute été l'élément déterminant. C'est vrai que j'étais écœuré du patron. Ça s'explique, le patron, c'était moi! C'est également vrai que n'ayant pas d'enfant, je n'avais pas besoin de m'esquinter la santé pour laisser un héritage qu'ils auraient flambé dans l'allégresse et l'insouciance de ceux qui n'ont rien fait pour entasser les sous. Il y avait encore mon horloge biologique. Celle-là!… On dit, et je crois que c'est vrai sans l'avoir jamais vérifié, que la température d'un être humain varie d'un degré chaque jour et que selon qu'elle est plus élevée le soir que le matin, il est un «type» du soir plutôt qu'un «type» du matin. En ce qui me regarde, c'est strictement vrai. Je suis un nocturne, (normal pour un prédateur), et quelle que soit l'heure où je me lève, je ne m'endors jamais avant une heure ou deux du matin. Pour les gens normalement constitués, ça peut paraître une bien piètre excuse d'aimer faire la grasse matinée, mais pour les autres c'est une triste réalité. Combien de fois mon père s'est-il inquiété que je prenne au fond de mon lit, combien de fois a-t-il affirmé que j'étais pire qu'un castor en ce que je pourrais dormir la queue dans l'eau…? Il n'empêche que cette disposition inopportune a été le caillou que j'ai toujours charrié dans mon soulier. Au collège, la cloche, l'exécrable cloche sonnait à cinq heures et vingt! Ce que j'ai pu la maudire en m'efforçant de sortir du sommeil en même temps que de mon lit… Que d'efforts pour ne pas dormir à l'étude ou à la chapelle. Que d'envie à l'endroit de ceux qui ronflaient pendant que je compulsais les statistiques de la ligne du Punch à la vaine recherche du sommeil. Je traînais tellement à sortir du lit que rarement avais-je le temps de prononcer, encore moins de faire, le *«Lavabo inter manu meas»*. Le plus souvent, c'était *«Asperges me»* et parfois, simplement, *«Vidi aquam»*.

Et ce n'était pas pour s'améliorer une fois lancé dans la grande vie. Pourtant, il faut être là avant les employés. Sinon, comment leur reprocher d'être en retard? Comment déplorer la pagaille dans un chantier de construction quand on n'est pas là à 7 heures moins quart pour distribuer ses tâches à chacun? Comment bouder une secrétaire qui, à seize heures, manque de concentration, alors que vous, vous commencez seulement à être tout à fait fonctionnel? Évidemment, quand on vit en société, il faut en respecter les règles, mais cela ne m'a jamais empêché de rêver du jour où, tenant compte des aptitudes de chacun, on laissera les gens travailler aux heures où ils sont le plus productifs. Les choses étant cependant ce qu'elles étaient, j'ai toujours dû planifier soigneusement mon travail la veille, pour ne pas tourner en rond le lendemain matin. Cependant, quand on prend conscience de n'avoir qu'une vie à vivre et que la santé est le plus précieux des biens, on en vient à se dire qu'il y a des limites à se faire violence. J'avais d'ailleurs vu trop de gens ruiner leur vie à faire jusqu'à soixante-cinq ans un métier qu'ils n'aimaient pas pour répéter l'erreur. Voilà pourquoi à cinquante-deux ans, j'ai déposé le harnais.

Je ne l'ai jamais regretté une seconde. Évidemment, cela a fait scandale. Mes amis les plus généreux ont trouvé mon geste déplacé. Les autres m'ont trouvé carrément dérangé. On ne laisse pas une position enviable et de tout repos, pour courir l'aventure des lettres! Ça ne se fait pas quand on est le moindrement sain d'esprit. L'opinion des autres m'ayant toujours indifféré, j'ai laissé braire. Comment disent les Arabes : «Les chiens aboient, la caravane passe…» J'allais enfin faire ce que je voulais quand je le voulais. Y a-t-il jamais eu une recette plus sûre pour le bonheur?

Par ailleurs, comme nous étions alors en 1981, j'avais accumulé assez de réussites littéraires pour croire sans trop de fatuité que j'avais encore des choses à dire. J'avais derrière moi *Horace ou l'art de porter la redingote, Moi Ovide Leblanc j'ai pour mon dire, Y sont fous le grand monde* et *Les Trottoirs de bois,* qui avaient tous été réédités à quelques reprises et qui avaient été chaleureusement accueillis par la critique. J'étais donc en droit, je crois, de penser que la source n'était pas tarie. Quand un dramaturge de la qualité de Marcel Dubé écrit à propos de *Moi Ovide Leblanc :* «Dans la veine de la *Sagouine,* Bertrand B. Leblanc écrit un chef-d'œuvre»; quand Jacques Ferron, à mon avis le premier des écrivains québécois, prend la peine de rédiger une critique tout aussi gentille que généreuse à propos de *Y sont fous le grand monde*; quand Réginald Martel accueille chacun de vos nouveaux livres avec chaleur, on a beau se ceindre la tête d'une courroie pour qu'elle n'enfle pas, on est bien obligé d'admettre qu'on a un certain talent et qu'il serait peut-être bête de ne pas l'exploiter.

Tout ceci pour dire que je n'étais pas tout à fait un écrivain novice et que si j'orientais ma vie différemment, ce n'était peut-être pas aussi bête que d'aucuns le prétendaient. Il faut en plus préciser qu'il m'était arrivé une aventure qui m'avait ouvert des horizons nouveaux. J'avais bien écrit une pièce, *Joseph-Philémon Sanschagrin, ministre*, que Leméac avait éditée, mais ce n'était surtout pas la trouvaille du siècle. Les *Marchands de gloire* sont un peu mieux… Je voulais y fustiger un monde que j'ai bien connu pour l'avoir beaucoup pratiqué, celui de la politique. Mais, la bêtise des politiciens m'ayant toujours mis hors de moi, je n'ai jamais réussi à faire un bon roman ou une pièce percutante de mes expériences avec ces braves gens. Je n'arrive toujours pas (j'ai essayé à trois ou quatre reprises), à prendre la distance voulue et faire ce que les Anglais traduisent par une phrase un peu vulgaire mais combien juste quand ils veulent exprimer leur souverain mépris. Ils disent: «*I'll piss upon you from a great height*». Ce que je ne suis jamais arrivé à faire. Je reste trop près du sujet. Forcément, j'éclabousse. Au lieu d'écrire une satire fine en même temps que cinglante, j'accouche d'un pamphlet tonitruant. Ce qui n'est évidemment pas le but de l'exercice… peut-être y arriverai-je un jour…

Et puis, au moment d'écrire *Joseph-Philémon*, j'ignorais une règle bien simple mais incontournable quand on écrit pour être joué au Québec: pas plus de quatre ou cinq personnages. C'est une des raisons pour lesquelles *Joseph-Philémon* n'a jamais été jouée par une troupe professionnelle. Et c'est très bien ainsi, parce que telle qu'elle est, cette pièce est un morceau de débutant qui est très bien dans le tiroir.

J'avais donc fait une croix sur la dramaturgie et voulais me consacrer au roman quand Marcel Dubé, qui faisait alors la critique pour *Le Livre d'ici*, m'appela. Pour me parler de *Moi Ovide Leblanc j'ai pour mon dire* et me poser des questions plutôt insignifiantes. Manifestement, il n'avait pas lu le livre et cela se sentait. Aux deux bouts du fil! Je raccroche donc, pas très enchanté de l'échange, mais me consolant à la pensée que le grand Marcel Dubé avait daigné appeler un homme d'affaires égaré dans la littérature. Et j'oubliai l'incident. Cependant, Marcel est tout ce qu'on voudra sauf un idiot. Une dizaine de jours plus tard, il me rappelait pour s'excuser, pour me dire qu'il m'envoie sa critique, pour me demander ce que j'ai pensé de la première conversation que nous avions eue. « Pas beaucoup de bien, monsieur Dubé. » Il me demande encore de l'excuser et, pour me prouver qu'il est sincère, il me demande l'autorisation d'adapter le livre pour le théâtre. Je ris et proteste que ce roman n'est pas fait pour le théâtre. Voyons donc! « Permettez-moi de vous dire que je connais ça mieux que vous, monsieur Leblanc. » Oh bateau! Le monsieur ne badine pas. Je me fends donc de mes plus plates excuses pour lui dire que je n'ai surtout pas voulu mettre en doute un auteur dont j'ai lu avec délectation une quinzaine de pièces, et lui donner la permission de faire ce qu'il voudra de mon livre.

C'est ainsi que j'ai connu Marcel Dubé. La première fois que je l'ai rencontré, il était à l'hôpital aux prises avec la maladie qui lui a si longtemps empoisonné l'existence. Il est peu bavard, mais comme je connaissais intimement son frère Yves, directeur littéraire chez Leméac, cela suffit à casser la glace. Nous nous reverrons plusieurs fois dans des lieux moins lugubres et développerons, cognac en main, une belle amitié. Malheureusement pour moi, heureusement pour lui, le ministère des Affaires culturelles lui offrait une position intéressante (pour une fois une sélection intelligente), au moment où il commençait l'adaptation de *Moi Ovide*. Je lui souhaite évidemment la meilleure des chances et j'oublie l'affaire, très heureux toutefois, d'avoir fait la connaissance d'un homme éminemment sympathique et d'avoir passé avec lui des heures inoubliables. J'en parle évidemment à son frère Yves qui, partageant la même opinion que Marcel à propos de la pièce à faire, me demande l'autorisation d'en parler à Gilles Pelletier qui demeurait sur la rue Durocher à quelques minutes de la maison Leméac et qu'il croisait à l'occasion. J'acquiesce et je retourne à mes affaires. Peu de temps après, Yves m'appelle pour me dire que Gilles est intéressé et qu'il aimerait discuter de l'affaire avec moi. Pour me dire qu'il serait bien incapable de faire l'adaptation du livre mais que, si je l'y autorise, il verra si Pierre Dagenais veut bien la faire.

Ce que la vie nous réserve parfois de substantielles surprises! Grâce à un roman ou plutôt, à un récit que je voulais faire sur la vie des forestiers, voilà qu'en quelques mois je faisais la connaissance d'un de nos plus grands dramaturges, d'un homme de théâtre légendaire et du prince des comédiens québécois. Des gens que, la veille, on vénère en les lisant, en les regardant brûler les planches ou crever le petit écran et avec qui on est bientôt à tu et à toi. Merveilleux monde des lettres! qui me permettait de nouer des amitiés fécondes avec des gens que j'avais toujours admirés. Les chemins de l'amitié étant ce qu'ils sont, c'est toutefois avec Pierre Dagenais que je me suis lié davantage. Comme Yves Dubé, Pierre est mort beaucoup trop tôt et voilà deux amis que je regretterai toute ma vie.

Gilles créa donc la pièce au théâtre Fred-Barry et s'y tailla un beau succès. Assez pour entreprendre l'été suivant une tournée provinciale. Avec un égal succès. Auparavant toutefois, j'avais eu un autre appel à propos de *Moi Ovide Leblanc j'ai pour mon dire*. Jean Guy, que je ne connaissais ni d'Ève ni d'Adam, me demandait un rendez-vous. Je lui proposai plutôt, puisque je devais me rendre à Québec dans les jours suivants, de l'y rencontrer. Il m'arrive à l'Auberge des Gouverneurs avec une large serviette pleine de photos, de critiques, de coupures de presse et se présente: comédien, metteur en scène, directeur du Conservatoire d'art dramatique de Québec. «Enchanté! Qu'est-ce que je peux faire pour vous?» Il m'apprend qu'il a lu *Moi Ovide*, qu'il a ri, qu'il a pleuré, bref qu'il a aimé ce livre au point de vouloir l'adapter pour la scène. Je freine son enthousiasme en lui disant que j'ai malheureusement déjà cédé les droits à Gilles Pelletier. Terriblement déçu, il s'apprête à me quitter quand, délicat comme un doberman, je lui dis de ne pas s'en faire, que de toute façon, il n'a pas le physique pour jouer Ovide Leblanc. Oh, mes aïeux! Si ses yeux bleu profond, qui devinrent presque noirs, avaient été des pistolets, je tombais raide mort. «Moi monsieur, qu'il me cingle, sur scène, je peux avoir sept pieds!» Pour un homme de cinq pieds quatre pouces, c'est une extension remarquable, mais tous ceux qui ont eu la chance de voir Jean Guy évoluer sur scène, savent qu'il n'exagérait pas du tout. En fait, en tout cas en ce qui me regarde, il a été le meilleur comédien qui ait jamais interprété mes textes. Et pourtant, Yvan Canuel et Yvon Leroux, en particulier, Louis de Santis, Aubert Pallascio, Jean-Pierre Masson, Claude Préfontaine, Gilles Pelletier, Gisèle

Schmidt, Marie Michaud, Catherine Bégin, Françoise Graton, Denise Verville, Denise Dubois, Monique Chabot, Mireille Thibault, pour ne nommer que les principaux, sont tous des comédiens chevronnés.

Pour rattraper ma bévue et mettre un peu de baume, je dis à Jean que j'avais une pièce en tête et que je la lui ferais parvenir dès qu'elle serait terminée. «Je vous remercie. Bonjour!» Sans doute Jean s'est-il dit: «Voilà une façon médiocre de me renvoyer à mes moutons. Je n'entendrai plus jamais parler de ce mufle et c'est très bien ainsi.» Mais j'avais vu que je l'avais blessé et déçu. Et comme je ne fais jamais de promesse en l'air, je profitai du congé des Fêtes pour rédiger *Tit-Cul Lavoie, journalier* et, tel que promis, je la lui adressai. J'avais écrit cette pièce à sa mesure. Pourtant, même en lui trouvant de belles qualités, il ne voulut jamais la jouer. Je peux comprendre, n'étant pas moi-même un géant, qu'un comédien ne veuille pas vivre sur scène la situation désagréable que la nature lui a imposée, mais j'ai toujours regretté sa décision. Parce que, je le sais, il aurait été génial. C'est alors que j'écrivis *Faut divorcer* qu'il accepta avec enthousiasme. Et c'est ainsi qu'il créa au théâtre Petit-Champlain une pièce qu'il jouera cent cinquante fois. Jean-Pierre Masson fera mieux encore en la jouant cinq années de suite, soit plus de trois cent cinquante fois. Yvon Leroux la jouera à Drummondville et en tournée, Yvan Canuel à son théâtre de Pont Château. Jusqu'à maintenant, cette pièce a été jouée plus de six cents fois.

Le hasard faisait donc bien les choses. En effet, sans Marcel Dubé, je n'aurais probablement jamais écrit une autre pièce que *Joseph-Philémon*, mais les circonstances avaient voulu que je tâte de ce nouveau genre d'écriture et que j'y trouve assez de satisfaction pour écrire une vingtaine d'autres pièces. Et puis, on a beau être détaché des biens de ce monde, on n'en méprise pas l'argent pour autant. Et le théâtre, en tout cas en ce qui me concerne, s'est révélé infiniment plus lucratif que le roman. Pour bien vivre du roman, il m'aurait fallu en écrire deux ou trois par année. Je ne demandais pas mieux, mais les sujets ne se bousculent pas automatiquement dans le subconscient d'un auteur. Une fois qu'on a mis le point final à un livre, on se demande toujours que pourra bien être le thème du suivant et parfois, il faut chercher longtemps avant de trouver.

C'est qu'ici, le milieu n'est pas très favorable à l'écriture, les sujets ne fourmillent surtout pas. On est dans un cocon de bien-être tranquille, on a le droit de protester tant qu'on veut, on a le loisir de huer ses politiciens, de les traiter de pourris, de les caricaturer jusqu'au ridicule, exemple: «*Si la tendance se maintient*», on peut même les entarter un peu sans pour autant passer à la torture, encore moins par le peloton d'exécution. La dernière fois qu'on a tiré sur le bon peuple, c'était en 1917 à la suite de la conscription que Borden venait de décréter. Un prévôt a encore tiré sur Georges Guénette, un déserteur de la guerre 39-45. Au total, six morts. Plus tard les Felquistes ont fait sauter quelques bombes meurtrières et assassiné Pierre Laporte, ce qui a déclenché la paranoïa d'Octobre. Mais, au fond, plus de peur que de mal. Auparavant, un Fénian fanatique avait abattu Darcy McGee et un partisan passionné avait troué d'une balle le haut-de-forme de Pantaléon Pelletier: de quoi faire sourire un Hutu. Si on fait exception des troubles de 1837 qui ont fait quelques centaines de victimes, coûté la corde à douze patriotes et l'exil à une cinquantaine d'activistes, notre épopée a plutôt été tranquille. Quant à notre vraie révolution (elle l'a certainement été puisqu'on l'a baptisée comme telle), elle n'a même pas provoqué un saignement de nez. Si donc on faisait le bilan des morts que notre histoire pourrait recenser, cela équivaudrait à une bien petite journée de travail pour un Staline, un Hitler ou un Pol Pot. Donc, pour les épopées sanglantes qui, à l'exemple de nos cousins d'outre-mer, auraient abreuvé nos sillons, il faudra repasser. C'est mince pour écrire une *shoah* québécoise. Les dernières calamités nationales ont été le verglas et le débordement du Saguenay. Plutôt maigre pour écrire la saga d'un peuple misérable… Les ouragans, les typhons, les tsunamis, les séismes qui, tuant à l'aveugle, font d'excellents sujets de roman, nous évitent soigneusement. Mis à part le froid qui s'installe un peu trop à demeure et qui tue moins souvent que la grippe, on jouit d'un climat sain et vigorifiant. On semble également à l'abri du terrorisme international et sauf pour priver les États-Unis de jus en faisant sauter nos grands barrages, je vois mal quel intérêt les suppôts de Ben Laden auraient à nous massacrer. Peut-être aussi, le Canada a-t-il meilleure réputation à l'étranger que chez lui… D'ailleurs, tout a été dit, même si ce n'est pas nous qui l'avons dit. On n'a donc d'autres choix que de réécrire du déjà vu, du déjà vécu. Voilà qui demande une imagination très féconde, une originalité peu commune et une créativité remarquable. D'où l'immense mérite de nos meilleurs écrivains qui, avec un matériel modeste, réussissent un produit fini étonnant.

Autrement dit, quand on a vécu trois ou quatre ans dans un camp de concentration, quand on y a vu périr tous les siens et que, par une chance insigne, on a échappé aux fours crématoires, on n'a pas besoin d'une imagination débridée pour décrire l'horreur. L'écrivain relève alors davantage du photographe que du peintre. Si Rigoberta Manchou décidait un jour d'écrire son calvaire, il lui serait un peu plus facile de décrire l'intolérable brûlure qui l'a stigmatisée que pour moi de dramatiser l'ampoule faite par une pipe mal bourrée. Nous devons donc inventer nos drames, tout confier à l'imagination. Cela limite forcément le terrain. Celui qui a vécu sous Pinochet n'a pas à solliciter la créativité pour parler de liberté opprimée, de droits bafoués, d'injustices multipliées, de peurs languissantes, de souffrances chroniques. Il n'a rien à inventer. Bref, on manque de vécu. Je ne vais surtout pas m'en plaindre, mais nos drames écrits n'ont pas beaucoup d'autres terreaux que notre petite intériorité. Évidemment, le Chili, la Palestine et l'Afghanistan n'ont pas à eux seuls le monopole de la douleur. On peut parfaitement souffrir au Québec comme ailleurs, mais notre situation privilégiée réduit forcément notre champ expérimental. Ça ne peut que se refléter dans notre œuvre littéraire commune. À la télévision, pour ne parler que d'un des moyens de transmettre notre imaginaire, et les budgets rétrécissant comme peau de chagrin, nos auteurs ont-ils d'autres choix que d'écrire des séries de cuisine, de bureau ou de salon? Pas idéal pour déployer des ailes d'albatros… Comme dit le poète, sur des choses anciennes, il faut donc faire des vers nouveaux. Ou trouver, si cela est encore possible, un sujet nouveau.

Pour *Horace*, j'avais la chance que personne n'ait vraiment abordé le sujet. Pour *Ovide*, c'était un peu la même chose. J'avais, de plus, eu la chance de vivre longuement avec les travailleurs de la forêt et d'avoir profondément aimé l'expérience. D'autres, sans doute aussi cultivés que moi, ont eu la même opportunité. Mais de tous les ingénieurs forestiers que j'ai connus, un seul aurait pu écrire un autre *Ovide*. Il y en a eu partout dans la province. Mais l'ingénieur en question, même s'il a une vaste culture et écrit remarquablement bien, s'est toujours refusé à la grande aventure des lettres. Je connais également quelques professionnels qui ont gagné leurs études à bûcher de la «pitoune», mais aucun ne semblait avoir aimé l'expérience au point de la faire partager par le public lecteur. Restaient les patrons et les bûcherons eux-mêmes. À l'époque, en tout cas, chercher chez eux un auteur aurait été aussi difficile que de trouver un pape dans un bordel. La plupart avaient peine à signer leur nom. Il ne restait donc que moi.

Heureusement! Providentiellement! Autrement, il serait resté un bien mince sillage des anciens «lumberjacks» dans la littérature québécoise. Mais ne me faites pas dire que je prétends y avoir creusé la houache du Titanic. Surtout pas! Mais au moins, j'aurai tenté de saisir, avant qu'il ne disparaisse à jamais, un monde où ont évolué des milliers de nos pères. On n'hivernera plus jamais de la Toussaint à Pâques dans des camps en bois rond. On ne couchera plus jamais, des mois durant, dans des tentes simples plantées dans la neige. On ne poussera plus jamais, trempés jusqu'aux os, des billots dans des rivières écumantes. C'est un pan de notre histoire qui est tombé à jamais. Ne valait-il pas la peine de le faire revivre, ne serait-ce que pour conserver quelques miettes d'un passé plus héroïque qu'on s'est complu à le penser? Des Ovide Leblanc (aucune parenté), ont bâti notre pays aussi bien que n'importe quel maudit politicien. J'ai pensé qu'il n'était pas superflu de le signaler. Surtout qu'on leur avait consacré bien peu de pages dans notre littérature. On avait bien parlé des bûcherons dans *L'Abattis*, dans *L'Orme des Hamel*, dans *Maria Chapdelaine*, mais on y bûchait pour faire de la terre, ou parce qu'elle ne vous faisait pas vivre douze mois par année, mais le défrichement plutôt que l'industrie forestière était le thème de ces ouvrages. Mgr Savard avait bien donné son *Menaud*, mais ce livre, par ailleurs admirablement écrit, n'a strictement rien à voir avec la vie des forestiers. Ce beau poème symphonique n'a jamais éclairé personne sur la vie réelle d'un draveur. D'ailleurs, le but de l'auteur était tout autre et personne n'a jamais contesté son choix.

Déjà, donc, l'éventail des sujets un peu exclusifs rétrécissait. La chronique d'un village comme celui des *Trottoirs de bois* a connu, en effet, bien des variations dans notre littérature. Déjà, il me fallait suivre le sentier tracé par mes prédécesseurs cependant un peu frileux à montrer le vice qui y sévit parfois. J'ai donc voulu y montrer la face cachée de nos saints villages où tout le monde était censé prier, jeûner, observer scrupuleusement les commandements de Dieu et ceux de l'Église. On tenait à ce point à cette image d'Épinal, que tout écrivain qui a osé dévoiler un peu le sordide et le croustillant de son patelin, s'est vu bouder par les bien-pensants obstinés à ne voir que le sublime là où fermentaient souvent le sordide, la misère et le vice. Même Antonine Maillet, après sa magistrale *Sagouine*, s'est fait accuser de rétrécir le peuple acadien à une caste de parias. Je connais plusieurs Acadiens, mon père inclus, qui fermaient la télévision quand la Sagouine venait leur rappeler des souvenirs qui faisaient trop mal. Après *Les Trottoirs de bois*, j'ai eu les mêmes reproches de certains concitoyens scandalisés par la verdeur du langage et le scabreux de certaines situations. Selon eux, je les avais tout simplement inventées. La plupart croyaient que j'avais trop levé le voile, mais d'autres, *«pas assez la couvarte à joual»*. Comme quoi je n'avais pas autant exagéré que quelques bigots frileux voulaient bien le laisser entendre. Même mon père, l'homme le moins scrupuleux que j'aie connu, avait des réticences à propos des *Trottoirs*. (C'est pourtant lui qui les a fait disparaître du Lac-au-Saumon.) Mon frère lui demandant pourquoi, il répondit: «Trop de cul! Trop de sacres!». Venant de lui, c'était un constat inouï. Il adorait le cul et se gargarisait plutôt adroitement avec les objets du culte. «Ça serait pas plutôt parce que tu t'y es trop reconnu?» Je vous dispense de la réplique un peu trop scatologique quoique relevée d'un fort parfum religieux. En somme, une réplique tout à fait dans le ton des *Trottoirs*…

En ce qui a trait à *La Butte aux anges*, l'idée m'en est venue par un truchement qui a peut-être inspiré d'autres écrivains, c'est-à-dire le cinéma. J'avais vu le film d'Ettore Scola, *Affreux, sales et méchants*, avec un Nino Manfredi, génial dans le rôle-titre. Celui d'un pauvre diable qui, ayant perdu un œil dans un accident de travail, a touché un million de lires en indemnités. Donc une affaire malheureuse qui a une conclusion acceptable. Seulement, la famille de ce pauvre homme convoite son bien jusqu'à prendre les moyens les plus odieux pour l'éliminer. Toujours en vain d'ailleurs, parce qu'il a pour cacher son butin le génie d'un alcoolique à dissimuler ses bouteilles et pour survivre, plus de vies que le matou le plus aguerri. Pour ajouter au sordide, l'action se passe dans un bidonville de Rome, où prolifèrent le vice, la misère et les rats. Donc, un drame épouvantable. Cependant, on a beau être en deuil du matin, on ne peut que rire à s'en péter la rate à la vue de ce spectacle ahurissant. Tout à fait la situation que j'affectionne pour écrire une comédie. Le drame doit en être la base, et plus la situation sera dramatique, plus le rire sera nécessaire pour la dénouer. Plus il sera libérateur et incontrôlable, à l'exemple d'une farce qui déclenche l'hilarité dans une église, un peu parce qu'on a osé la faire là où il ne faut pas.

En visionnant ce film, je m'étais mis à penser à une famille du coin, un peu comparable à la smala italienne et, dans un registre différent, capable de lui rendre des points. Il s'agissait de gens d'une pauvreté insondable vivant dans la promiscuité de cabanes délabrées et faisant flèche de tout bois pour survivre dans un environnement on ne peut plus hostile. Un jour, un de ces pouilleux décède. Probablement de misère. Plus d'un an après, sa femme met un petit pouilleux au monde. Comme on ne se souvient pas très bien de la date du décès, on oublie l'anomalie. On oublie également de se poser des questions. Mais, quand l'expérience se renouvelle un an plus tard, on est bien forcé d'admettre que ce n'est pas le Saint-Esprit qui est venu se dévergonder à la Butte. Les nouvellistes s'inquiètent et s'affairent jusqu'à découvrir que c'est le fils aîné du cher disparu qui se fait des petits frères avec bonne maman.

Et me voilà à l'écriture. Le premier chapitre sert à faire le portrait de cette mère incestueuse, sans toutefois révéler encore qu'elle fornique avec la chair de sa chair. Je relis donc pour découvrir que je viens de dessiner une pauvre femme somme toute plutôt sympathique. Et comme je suis paresseux, je ne me décide pas à jeter le chapitre au panier. Et voilà le livre parti dans une tout autre direction. Au lieu de décrire la misère d'une famille incestueuse, j'effectue un virage à cent quatre-vingts degrés. Pour sortir mes pouilleux de la misère, j'en fais des bootleggers, ce qu'ils n'étaient pas, et, pour corser la situation, je leur invente une fillette hallucinant sur les anges qui lui rendent régulièrement visite et l'incitent, on s'en serait douté, à prier très fort et à agir vigoureusement pour que son père et ses mon-oncles cessent un trafic qui les mène tout droit en enfer.

Dans *Y sont fous le grand monde*, j'ai voulu me remettre dans la peau d'un enfant qui regarde agir les grands, ne comprend pas toujours leur comportement (il comprendra quand il aura le même), se questionne, s'étonne, s'offusque, se révolte à l'occasion.

Dans *La Révolte des Jupons*, pensant au *Lysistrata* d'Aristophane, j'imagine la révolte des Québécoises et les moyens qu'elles prennent pour assumer le pouvoir et nettoyer les écuries d'Augias d'un État trop longtemps dirigé par les mâles.

Dans *Variations sur un thème anathème*, on aura tout compris si je précise que le thème est le sexe et ses anomalies.

Enfin, *Le Temps d'une guerre* est une chronique relatant la vie d'un village gaspésien durant la Seconde Guerre mondiale. En toile de fond : des événements mondiaux qui déterminent la politique canadienne qui, au nom de Sa Majesté très britannique, empiète dangereusement sur le terrain québécois. Au grand dam de l'intelligentsia du village qui suit avec fébrilité les convulsions d'un monde en folie et les commente avec passion, pendant qu'une dévote impénitente assure la police des mœurs, qu'un jeune couple se défait dans la violence, qu'un vieux ménage s'étiole dans une chasteté prudente et qu'un mariage sombre dans l'adultère. Bref, la vie normale d'une petite communauté secouée par des remous trop puissants pour des coutumes séculaires.

En ce qui a trait au théâtre, je cherche toujours un sujet d'actualité et qui le restera. Ainsi que je l'ai dit plus haut, mon point de départ est toujours un drame. Je m'efforce également de respecter la règle des unités : unité de lieu, unité de temps, unité d'action. Le sujet est habituellement sinon tragique, du moins très sérieux, mais je m'efforce d'alléger l'atmosphère soit par l'outrance des situations, soit par la caricature du personnage principal. Ainsi (pour ne parler que des principales pièces), dans *Faut divorcer*, je traite du problème angoissant de la retraite. Un cheminot de soixante-cinq ans est forcé de prendre une retraite que rien n'a préparée. Il se sent inutile, rejeté, avili et s'en désole. Il ne sait que faire de sa vie et il en gaspille le reste à boire son désœuvrement et à critiquer le monde mal fait dans lequel il est forcé de vivre. Bien entendu, il engueule sa femme qui essaie de le secouer et va jusqu'à suggérer que le temps est peut-être venu de divorcer. C'est elle qui le quitte après lui avoir abondamment dit ses vérités. Dans *Faut s'marier pour*, c'est le conflit des générations. À ses dix-huit ans, la cadette décide d'amener son petit ami coucher chez elle. Le père, un peu vieux jeu diront certains, s'y oppose de toutes ses forces qui ne sont pas anémiques. Dans *Oh mes Vieux*, c'est la vie de quatre retraités «placés» en institution. Quatre inséparables se retrouvant dans un milieu aseptisé, régenté, et démoralisant. L'ancien contracteur essaie de secouer la morosité et la routine en suggérant à ses amis une virée dans un bordel. Le notaire s'y oppose par principe, le bûcheron qui est sans le sou refuse de se mettre C.O.D., et le marchand qui cache un cancer, prétexte que la gêne lui enlèverait tous ses moyens. Il faut chercher ailleurs pour tuer la monotonie de journées toujours pareilles et ne menant qu'au néant. Dans *Comme ça tu te sépares*, il s'agit d'une jeune mariée trompée revenant chez ses parents pour leur apprendre qu'elle veut divorcer et se faire avorter. «Passe pour le divorce, mais l'avortement, jamais!», clame le père. *Juste une petite différence* confronte un père et sa fille qui sort avec un noir et veut le marier. Pas raciste «en général», grand admirateur de Washington Carver, de Marian Anderson et de Willie Mays, le père découvre qu'il est plutôt raciste «en particulier». Il veut bien servir de père à Toussaint, mais à condition qu'il épouse n'importe quelle fille, noire, jaune, voire blanche, mais pas la sienne. Dans *Faut placer pépère*, j'ai voulu analyser le problème que posent à notre société les personnes du quatrième âge, mais vu par la lorgnette de ceux qui ont la difficile tâche de les garder et qu'on oublie trop souvent. Bref, partout, des sujets qui ne prêtent pas à rire, mais qui, traités avec l'outrance qu'il convient, font pleurer un peu et rire beaucoup. Un peu, j'ose penser, comme dans *Affreux, sales et méchants*.

Voilà en gros où je trouve les sujets de mes livres. Et comme j'ai horreur du drame, de la complaisance à gratter ses bobos, de la délectation à cultiver ses déboires, je préfère traiter de nos malheurs avec la perspective qui convient. Comme tout le monde, j'ai eu des coups durs, mais je serais bien en peine de donner la date précise où ils sont arrivés. Je me suis donc persuadé que le malheur n'a souvent que la dimension qu'on veut bien lui accorder. Je sais bien que le mélodrame a toujours une forte écoute et que les chagrins de nos héros télévisés ont fait pleurer des générations de Québécois, mais je suis incapable de m'apitoyer longtemps, aussi bien sur mon propre sort que sur celui des autres, surtout quand il ferait l'envie de gens moins gâtés que nous. Alors, quand il s'agit de fiction… Et puis, est-ce que Molière ne serait qu'un cabotin à côté de Corneille? Est-ce que les malheurs de Cosette seraient plus photogéniques que les colères de César? Est-ce qu'il faut absolument tremper sa plume dans les larmes et la morve pour écrire un bon livre? Et le théâtre d'été doit-il forcément être un divertissement débile ou vulgaire pour plaire au public?

Je crois avoir assez vu réagir les auditoires des quatre coins de la province pour affirmer que non. À mon avis, il n'y a pas de théâtre d'été, ni de théâtre d'hiver; il n'y a pas de théâtre à Montréal ni de théâtre en province, il y a du bon et du mauvais théâtre. Et quel que soit l'endroit où on le joue, quelle que soit la saison où on le présente, il n'y aura toujours et seulement que du bon ou du mauvais théâtre. Point à la ligne! Et tant pis pour les snobs, les intellos, les constipés de l'arachnoïde, qui ne jurent que par les œuvres que la réussite a rendues universelles et qui lèvent le nez sur les produits locaux. Poignés par un colonialisme qu'ils ignorent autant qu'il les accable, ils auront beau dire *«toute proportion gardée»* en nous comparant aux Français, ils n'empêcheront jamais quelques auteurs québécois d'écrire

Oser écrire pourquoi on se prétend capable de faire un livre, c'est prétentieux. Et quand on se compare aux géants, cela devient alors tout à fait indécent. Passe encore, quand on est collégien, de se soumettre à la dissertation hebdomadaire. Cela fait partie de l'apprentissage de la langue et reste en vase clos. À tout prendre, ce n'est qu'un dialogue avec un maître dont le rôle est de balafrer votre texte à l'encre rouge de ses corrections quand ce n'est pas au vitriol de son ironie. Mais, lancer la chose dans le grand public, c'est une audace difficilement pardonnable. Sauf si l'on jure ses grands dieux ! qu'on a seulement voulu être agréable à un homme dont on a la certitude qu'il a tout son bon sens et qu'il est trop humain pour couvrir volontairement son semblable de ridicule.

BL.

...er écrire pour... on se prête

...capable de faire un livre, dit ...

...enteux. Et quand on se comp...

...ns qu'à... cela devient alors

...à peut prudent... Pour ...

...quand on est adolescent d'une ...

...à la dissertation hebdomadaire ...

...partie de l'apprentissage de la lo...

...reste en somme classe. Ainsi prenons ...

...pour un dialogue avec un maître ...

...rôle est de laisser voir à ...

...soit de ses corrections quand c...

...pas au vitriol de son voisin. ...

...lancer la chose dans le ...

...c'est une audace difficilement ...

...noble. ... si l'on peut ...

...dieu! qu'on a seulement voulu

...capable à un homme ...

des chefs-d'œuvre et tant pis pour eux s'ils attendent qu'on les acclame à Paris pour les applaudir à leur tour. Mais c'est sans doute trop leur demander que d'arriver enfin à se guérir de leur pédanterie exécrable et à ouvrir les yeux sur les produits de notre terroir, qui en vaut bien un autre. Enfin merde! Qu'ils cherchent ailleurs, n'importe où, un petit peuple de six millions d'habitants qui produit autant et de si bons écrivains. Et remerde aux compassés pisse-vinaigre qui s'extasient sur une ligne creuse, vide et insipide, à condition qu'elle ait été pondue ailleurs. Qu'ils la croient sublime, inspirée, profonde, alors qu'elle n'est que banale, besogneuse et creuse et qu'elle indiffère un homme en santé, eh bien, tant pis pour eux et leurs préférences valétudinaires.

Après mûre réflexion, je préfère écrire pour le théâtre. C'est sûr qu'un bon roman sur lequel on a mis des mois d'efforts est réconfortant, surtout quand la critique l'accueille avec indulgence et le public avec enthousiasme, mais le théâtre est plus satisfaisant encore. En tout cas pour moi. Pour diverses raisons. En premier lieu, une pièce n'est jamais figée sur une page irrécupérable. Dans le roman, combien de phrases malheureuses voudrait-on rattraper quand on se relit cinq ou dix ans plus tard? Mais le mal est fait et bien fait: à moins de réécrire l'œuvre, on devra vivre avec le reste de ses jours. Tandis qu'au théâtre, si une réplique n'est pas fluide en bouche, on peut la refaire. Si une phrase est trop longue, on peut la coucher sur le lit de Procuste. Si elle est trop bête, on peut la supprimer. Si un personnage est de trop ou anachronique ou mal venu, on peut lui indiquer la coulisse et l'y laisser. Si la pièce est mauvaise, on peut la reléguer aux tablettes ou la jeter au panier, là où elle ne fera de mal ni à son auteur, ni à son public. Bref, une pièce est une chose vivante qu'on peut remodeler tant qu'on veut. C'est une matière plastique qu'on peut pétrir jusqu'à atteindre les limites de ses compétences. Le principe de Peter, en somme… En cela, d'ailleurs, le public est un guide très sûr. S'il ne comprend pas, c'est que vous n'avez pas été assez clair. S'il réagit au mauvais endroit, c'est que vous avez mal ménagé vos effets. S'il trouve le temps long, c'est que vous avez raté votre pièce. Gilles Pelletier me disait fort judicieusement : «Le théâtre est une question de fesses. Si le public sent qu'il a mal aux fesses, c'est que la pièce est trop longue ou qu'elle est mauvaise. Et quand elle est mauvaise, elle est toujours trop longue.»

Par ailleurs, un auteur peut avoir quelque part un lecteur qui s'attarde avec son roman. Il peut rire, pleurer, réfléchir, s'enthousiasmer au point de lire de larges extraits à sa femme, cela demeure un acte isolé se passant à mille kilomètres de l'auteur et qu'il ne saura jamais. On a beau recevoir quelques lettres d'éloges, lire une critique généreuse, rencontrer quelques amis qui vous félicitent chaleureusement, l'acte d'écrire est un péché terriblement solitaire et, à moins d'être un Narcisse qui adore regarder son reflet dans l'eau, l'écriture peut être terriblement frustrante. Tandis qu'au théâtre vous savez immédiatement si le public aime et il vous le fait tout de suite savoir. Surtout si, comme moi, vous avez la chance de passer à peu près partout incognito. Vous êtes assis dans une salle, vous regardez les comédiens évoluer, vous observez les réactions de la salle, vous écoutez les commentaires de vos voisins immédiats qui se lèvent avec étonnement et déférence quand on vous invite à monter sur scène après le dernier rideau, bref, vous êtes au cœur de l'action. Vous pouvez, en quelque sorte, toucher du doigt la gamme des émotions ressenties par le public et mesurer de façon très précise leur contentement à votre endroit par les applaudissements qu'il réserve à vos comédiens. Vous avez la satisfaction d'avoir ému, fait rire, fait réfléchir, fait passer à quelques centaines de gens deux heures où les tracas, les peines et les emmerdements quotidiens ont fait place au bonheur. Je me suis toujours demandé s'il y avait un autre métier porteur d'autant de satisfaction, sauf celui du médecin qu'un malade reconnaissant vient remercier de lui avoir sauvé la vie.

Il y a plusieurs conditions à ce genre de succès. Il faut évidemment que la pièce soit bonne. Mais ça ne suffit pas toujours. Il faut en plus que les comédiens soient à la hauteur. La meilleure pièce peut également être bousillée par une mauvaise lecture du metteur en scène. J'ai souvent dit, même si cela fait sourire, que les metteurs en scène capables de bien lire une pièce sont plutôt rares. Je ne parlais pas à travers mon chapeau. J'ai assez souvent vu des metteurs en scène qui, devant le sérieux du sujet et l'inquiétude de ne pas faire rire, faisaient commettre les pires pitreries à leurs acteurs pour savoir de quoi je parle. Tout pour un rire. Aussi gras puisse-t-il être. Au besoin, montrer ses fesses.

J'ai vu une pièce jouée par un Yvon Leroux, un Jean Guy, un Yvan Canuel qui, s'en tenant strictement au texte, ne cabotinant jamais, faisait crouler la salle de rires, et la même pièce faire ailleurs des bides impressionnants. Parce qu'un metteur en scène ne sachant pas lire un texte, c'est-à-dire, le voir dérouler devant soi et y voir évoluer ses personnages, choisissait la bêtise et la vulgarité de peur de ne pas voir une salle hilare. Deux exemples seulement pour illustrer le propos. Chaque année, je vais voir les pièces qu'on m'a demandées. (C'est bien le début du savoir-vivre et le commencement de la reconnaissance du ventre que d'aller saluer et remercier ceux qui emplissent vos poches.) Je m'amène donc à un théâtre où on joue *Comme ça tu te sépares*. Dès le lever du rideau, le personnage principal entre en scène et avant même de dire sa première réplique, il se dirige vers le fond du parterre où il y a un cabanon. Sur le cabanon, il y a une niche à oiseaux. Il soulève le toit qui bascule sur ses pentures, en sort un dix onces de gin, regarde furtivement pour s'assurer que personne ne le voit, et avale une longue lampée, suivie de grimaces et de la toux d'usage. Il replace la bouteille et referme le couvercle. Puis il prend un balai et un porte-ordures et va ramasser une crotte de chien qu'il jette hypocritement sur le terrain du voisin. Il serre ses outils et revient au balcon pour lancer «Oua, on va avoir une belle journée, etc.»

Dès cet instant, je savais que la pièce allait être ratée. Pourquoi, en effet, un homme qui n'a pas de secret pour sa femme, se cacherait-il pour prendre une gorgée de gin ? Comment un homme à principes inflexibles peut-il se comporter en aussi mauvais voisin et demeurer crédible en prêchant plus tard à sa fille le respect de la vie ? Comment pourra-t-il faire la leçon à son gendre et lui imposer le respect des autres après s'être comporté d'une façon aussi cavalière ? Effectivement, la pièce ne levait pas. Pourquoi ? Parce qu'en deux minutes d'action, et avant même sa première réplique, le metteur en scène avait saboté la crédibilité de son personnage. Il méritait mieux, parce qu'il était un excellent comédien.

Après la pièce que je subis péniblement, je fis part de mes remarques au metteur en scène. La propriétaire prit évidemment sa défense et on ne me demanda plus jamais de pièce. Ils n'avaient rien compris ni un ni l'autre et avaient raté une belle occasion de faire confiance à un auteur qui, ayant vu la pièce présentée ailleurs avec infiniment plus de succès, aurait pu leur rendre service.

L'autre expérience était plus pénible encore. Il s'agissait de *Faut placer pépère*. Le personnage principal est un vieillard de quatre-vingt-dix ans, mais vert, rebelle, et insoumis. Il joue la surdité pour apprendre qu'on veut le placer en institution. Il chante évidemment une autre chanson et prétend que ce n'est pas lui qui doit quitter la maison, mais bien sa fille. Et pour une excellente raison: depuis vingt ans que sa femme est décédée, c'est elle qui le garde. Il a bien essayé de lui faire prendre de longues vacances, mais il n'a jamais réussi à l'arracher à sa piété filiale. Pour la convaincre, il est proprement odieux. À telle enseigne que son fils s'en mêle et, après une scène terrible où il en vient presque à le frapper, il traîne sa sœur hors de la maison. C'est alors qu'Harold demande à la garde-malade qu'il a engagée, d'aller voir sa fille et de lui remettre un chèque assez généreux *«pour faire le tour du monde et revenir avec un beau veuf»*. Le père est donc un personnage malcommode, difficile à contenter, certes, mais aimant sa fille et assez intelligent pour se rendre compte de la chance qu'il a de l'avoir. Donc tout, sauf un abruti aux bords du gâtisme.

Eh bien, le metteur en scène en avait fait une épave pitoyable, bouche ouverte, dormant entre deux répliques, pochard, bref, dégueulasse! Pour couronner le tout, il l'avait installé dans un fauteuil roulant, d'où il le faisait chuter à deux reprises face contre terre. N'en pouvant plus d'un spectacle aussi pénible et bouillant de colère, je suis parti avant la fin du premier acte pour ne revenir qu'une fois le public parti. Un public d'ailleurs très tiède et manifestement déçu. Je refusai d'aller festoyer avec la troupe. «Je serais un trop mauvais coucheur», et je leur dis pourquoi. Ça se résumait à: «Vous n'avez strictement rien compris, vous vous êtes même servis d'une chaise roulante pour faire un tremplin à la bêtise. Avez-vous seulement pensé aux pauvres malades qui viendraient voir cette pièce en fauteuil roulant? Pensez-vous qu'ils trouveront drôle de se servir de leur triste moyen de locomotion pour faire rire des abrutis?» Le metteur en scène balbutiait des explications qui ne faisaient que le caler davantage et la madame propriétaire protestait que les gens appréciaient, qu'ils riaient, qu'ils riaient même beaucoup. «Oui madame, mais aux mauvais endroits et toujours en bas de la ceinture.»

Inutile de dire que là non plus on ne m'a pas redemandé de pièce. Mais ceci devrait prouver hors de tout doute raisonnable que trop de metteurs en scène ne savent pas lire. À moins qu'étant mal payés, ce qui est la plupart du temps le cas, ils oublient de mettre les efforts nécessaires à monter un bon spectacle. Alors, leur demander d'aller voir ailleurs la même pièce montée par un metteur en scène intelligent, ce serait sans doute trop solliciter leur altruisme. Mais après des expériences aussi pénibles, on ne se surprend plus de voir le théâtre d'été rétrécir comme une peau de chagrin. Cela s'explique, bien sûr, par le manque de professionnalisme de trop de metteurs en scène, par le sédentarisme crasse de propriétaires de boîtes qui croient qu'il suffit de mettre en scène un ou deux comédiens connus pour que le fric entre à pleine porte. C'est heureusement plus compliqué que cela. En résumé, si le théâtre décline sérieusement en province, c'est qu'il y a trop d'improvisateurs qui s'en mêlent et qui présentent n'importe quoi.

J'en parle en connaissance de cause. Une année, espérant additionner quelques théâtres aux six ou sept où on me jouait, je décidai de faire la tournée des théâtres de l'Est du Québec, des environs de la capitale et du Saguenay–Lac-Saint-Jean. J'avais déjà fait l'expérience dans le Bas-du-Fleuve et la Gaspésie. Je visitai donc une douzaine de théâtres pour découvrir à mon profond étonnement que pas un seul directeur de ces boîtes n'avait entendu parler de moi. Pourtant, j'étais l'auteur le plus joué de la province depuis des années. L'année précédente, j'avais été au programme à Pont Château avec Yvan Canuel, à Saint-Jean de Matha avec Louis de Santis, à Saint-Esprit de Montcalm avec Yvon Leroux, à l'Île d'Orléans avec Jean Guy, à Hébertville avec Jean-Pierre Masson et à Jonquière avec Gilles Pelletier, donc pas des 2 de pique.

J'avais deux pièces, *Faut divorcer* et *Faut s'marier pour* qui dépassaient alors les trois cents représentations. Les critiques, sauf de très rares exceptions, les encensaient. Eh bien, malgré ce palmarès, tout ce monde (parce que c'en est un), m'ignorait (ce qui n'est pas grave), ignorait également mes pièces, ce qui me parut quand même un peu curieux. Pour être parfaitement honnête, une jeune fille, de la billetterie de la Roche-à-Veillon, connaissait quelques-unes de mes pièces pour les avoir vues. Pour le reste, néant. Est-il besoin de préciser que plusieurs de ces boîtes qui s'entêtaient à monter des âneries, ont dû fermer leurs guichets. Ces aventuriers auraient dû prendre exemple sur André Dallaire qui a fait fortune avec les cinq ou six théâtres d'été qu'il a dirigés pendant une dizaine d'années. Sa recette était simple. Choisir une bonne pièce, emplir la salle durant la première semaine, au besoin en donnant quelques centaines de billets, puis laisser faire le bouche à oreille. Une fois cette opération faite, il s'imposait d'aller voir une trentaine de pièces chaque trophait Yvon Leroux, se lamentant du départ définitif de Martha dans *Faut divorcer*, et s'écriant: «Qu'est-ce que j'vas faire, moi, veuf avec une femme en vie? — Commence par aller te laver, maudit cochon!», certaines salles sont silencieuses et figées. À propos, Yvon me disait que c'était un des plus beaux compliments qu'on lui ait jamais faits. J'endosse absolument! Il était tellement criant de vérité que la spectatrice avait oublié qu'il jouait un rôle. Cependant, dans la même pièce et avec les comédiens cités plus haut, il n'avait pas réussi, un soir, à sortir la salle de son mutisme et de son apathie. Les comédiens étaient désolés, surtout Berval que je rencontrais pour la première fois. Gisèle et Yvon s'excusaient également et se demandaient bien ce qui avait pu se passer pour qu'un pareil four se soit produit. En plus, le soir où l'auteur venait les visiter! J'ai eu beau leur dire que la salle avait aimé le spectacle, autrement elle n'aurait pas applaudi avec tant de chaleur à la fin de la pièce, elle n'aurait pas quitté les lieux toute bruissante de commentaires élogieux,

été. Il notait celles qui lui plaisaient et plaisaient au public et il passait l'hiver à contacter les auteurs et à trouver des metteurs en scène compétents. Beauceron d'origine, il savait faire des affaires et il prenait bien soin de traiter ses auteurs comme des partenaires essentiels à sa réussite. C'est après avoir vu Yvon Leroux interpréter magistralement Oscar dans *Faut divorcer* qu'il a amorcé avec moi une relation qui a duré jusqu'à sa retraite du milieu théâtral.

Il y a, bien sûr, d'autres conditions pour faire un succès d'un spectacle. Une des plus importantes est sans doute la distribution des rôles. J'ai toujours comparé une pièce de théâtre à une partie de tennis ou de ping-pong. Il faut que la réplique vienne vite et bien. Pour cela, il faut que les partenaires soient d'égale force. Malgré toute la bonne volonté que je pourrais y mettre, un match entre André Agassi et moi serait lamentable. Il en va de même avec le théâtre. Je dirais même que plus un comédien est transcendant par rapport à ses partenaires, plus il risque de couler la pièce. Mettez un

Yvan Canuel en présence d'amateurs bafouillant leurs répliques, et le spectacle sera médiocre. Mais, certains producteurs croient à tort qu'en mettant à l'affiche un Gilles Pelletier, ils vont faire un succès de leur spectacle. Ils hésitent à entourer leur premier rôle de comédiens capables à l'occasion de lui voler un peu la vedette, sous le faux prétexte que des débutants ne vont leur coûter que le minimum exigé par l'Union. Ils leur coûtent en réalité infiniment plus cher parce qu'ils vident la salle en trois semaines. D'autres comédiens ont aussi un ego himalayesque et ne peuvent tolérer de ne pas occuper seuls toute la scène. Certains autres n'accepteront jamais de partager la scène avec un Canuel. Je l'ai vu essayer d'enrôler certains confrères prestigieux. Comme il ne comprenait pas leur refus, je lui en donnai la raison : très gros, l'ego de certaines vedettes qui ne veulent pas avoir l'air de débutants à côté d'un monstre de la scène.

J'ai cependant eu la satisfaction d'avoir quelques castings bien équilibrés. Et c'était

un enchantement à voir. Je pen[...] culier aux saisons où Denise Ver[...] Michaud et Jean Guy défend[...] *s'marier pour* au théâtre de l'Île d[...] en Beauce. Une connivence parfa[...] chronisme exemplaire, une bat[...] où chacun défendait son territo[...] égal bonheur. Pas une vedette [...] les autres, pas une supériorité tro[...] plutôt une équipe où chacun c[...] est d'égale force. En les observ[...] disais, c'est ainsi que Toe Blake, [...] et Maurice Richard ont créé le m[...] peut-être, de l'histoire de la Ligne [...] de hockey. Je pense aussi à Yv[...] Gisèle Schmidt et Paul Berval [...] *divorcer*. Trois grands comédiens [...] d'une pièce plutôt qu'à celui d[...] d'artiste. Une équipe parfaiteme[...] brée. Un cadeau pour un auteur.

Ça ne suffit toutefois pas to[...] salle est également pour quelque [...] le succès d'une pièce. Il y a en [...] auditoires qui ne jouent pas leu[...] lieu de réagir comme cette dame [...]

mes efforts, j'en ai bien peur, tombèrent à vide. On ne le souhaite pas, mais il y a de ces salles.

J'en sais quelque chose pour être de ces spectateurs plutôt réservés. J'en fis un jour la démonstration à Marcel Sabourin qui m'avait invité au Forum. Comme j'étais resté de glace, il était persuadé que je n'avais pas apprécié le spectacle. J'eus beau protester, lui rappeler que je suivais passionnément le hockey depuis mon enfance, que j'en savais plus que lui sur Ken Mosdell pourtant un de ses amis (il ignorait que Mosdell avait été deux fois élu sur les équipes d'étoiles de la ligue), je pense bien qu'il ne m'a cru qu'à moitié. Cela se comprend, Marcel est l'exubérance faite homme, il est l'extraverti étalon. Quand le Canadien compte, il bondit de son siège, les bras au ciel, pour hurler sa joie. Quand les Glorieux se font marquer un but, il étale son dépit et grimace sa déception. Moi, l'un et l'autre me laissent froid. J'ai vu Hank Aaron, mon idole de joueur de baseball, sortir la balle du parc Jarry sans bouger de mon siège. Et pourtant, j'en ai eu autant de satisfaction que mon voisin qui s'écorchait les cordes vocales à hurler sa joie. Il y a des salles complètes de gens comme ça. Allez savoir pourquoi ils s'agglutinent à une date précise, mais cela se produit. Il semble que certains jours, la majorité des spectateurs apprécient en silence. Et c'est communicatif. À un point tel, que les quelques rires qui fusent au début et ne demanderaient pas mieux que de continuer, se taisent peu à peu, comme s'il devenait indécent de manifester bruyamment, comme si on assistait à une messe plutôt qu'à un divertissement. Je me souviens encore d'un soir où Gilles Pelletier jouait *Faut placer pépère* avec Françoise Graton, Régent Gauvin et Catherine Jalbert. Donc, une excellente distribution. Pourtant, au balcon où j'assistais à la pièce, le public était totalement amorphe malgré que la foule du rez-de-chaussée s'amusât ferme. Dallaire m'en donna la raison: le balcon était occupé par un groupe de touristes américains qu'un voyagiste «inspiré» avait envoyés à un spectacle où ils ne comprenaient rien. Faut le faire…

Il y a donc eu des hauts et des bas dans le métier, mais combien plus de satisfaction que de déceptions. Accaparer l'attention d'un lecteur pendant des heures, divertir des centaines de spectateurs pendant des mois et être payé en plus! Peut-il y avoir un plus beau métier? Et comme si ça ne suffisait pas, il y a encore les amitiés nouées avec des gens que la plupart admirent sans jamais pouvoir approcher. Ce métier m'a donné la chance de connaître ces gens, d'entrer dans leur intimité, de correspondre avec eux, de les avoir chez moi et, parmi tous les succès que la vie m'a prodigués, je tiens celui-là en toute première place. S'entretenir, parfois pendant des heures, avec Marcel Dubé, avec Pierre Morency, avec Michel Tremblay, avec Victor-Lévy Beaulieu, avec Antonine Maillet (trop brièvement), avec Normand Chaurette, avec Jean-Marie Poupart, avec Roger Fournier, avec Louis Caron, avec Madeleine Gagnon, avec Sylvain Rivière, avec Claude Jasmin, ne peut que faire de vous un homme enrichi. Si ce n'est pas là un des buts les plus nobles de la vie, où sont-ils donc? Comme si cela ne suffisait pas, il arrive parfois qu'un comédien ou une comédienne, qu'on en vient à mieux connaître à la longue des fréquentations, se révèlent des surprises aussi agréables que fructueuses. Le temps qui m'est imparti étant limité, je ne donnerai qu'un exemple de ces hasards bénéfiques que la vie nous ménage parfois. Avant de connaître Yvon Leroux, j'avais, comme un peu tout le monde sans doute, l'impression qu'il était un Bidou Laloge indécrottable. Il avait campé ce personnage avec une telle perfection qu'il en était, en quelque sorte, devenu indissociable. À un tel point qu'un jour où il s'était rendu dans le sud des États-Unis pour y faire une annonce publicitaire, il s'entendit crier à sa descente d'avion: «Si c'est pas notre Bidou national!» Et cela, vingt ans après avoir tenu le rôle! La même étiquette restait collée à Jean-Pierre Masson qui n'a jamais pu être quelqu'un d'autre que Séraphin dans l'esprit du public. Un fameux témoignage, même s'il n'est pas facile à porter pour celui qui en est victime. Pour revenir à Yvon Leroux, je le découvris, pour ma plus grande joie, aux antipodes du personnage qui l'a rendu célèbre, c'est-à-dire un homme d'une très vaste culture et d'une rectitude exemplaire. Tout le contraire de Bidou. Bref, de tous les êtres que j'ai connus, il est celui que j'ai eu le plus de satisfaction à découvrir.

Cela ne veut pas dire qu'on ne rencontre que des génies et des cœurs altiers dans le merveilleux monde des lettres et du théâtre. Comme toutes les professions, la littérature et le théâtre ont leur lot d'abrutis, de fats et de crétins. Je n'en cite comme exemple que cette dame qui, après avoir joué cinquante-cinq fois une de mes pièces, attendit la dernière représentation pour me dire combien elle regrettait de s'être commise dans une pièce aussi peu valorisante. Autrement dit, elle suggérait m'avoir fait l'aumône de son immense talent et elle le déplorait amèrement. Bien entendu, elle s'était bourrée comme un œuf à deux jaunes pour avoir le courage de me dire une si lumineuse vérité. Étant invité, je maîtrisai assez bien mon sale caractère pour me contenter de lui dire qu'une femme de son intelligence aurait dû, dès la première lecture, voir la médiocrité de l'ouvrage et ne pas s'imposer le supplice de défendre, pendant un interminable été, un texte indigne d'elle. On me félicita pour ma retenue, mais j'avoue que je regretterai toujours ne pas lui avoir fait ravaler son insignifiance de façon plus percutante. Il y a, hélas, de beaux coups de pied dans le cul qui s'égarent ou, pire encore, se perdent…

Et cette autre comédienne, bête à manger de la roche gelée. Le plus attristant, c'est qu'elle est une véritable bête de scène. Elle brûle les planches, peut jouer à la perfection d'un registre immense, sait émouvoir autant qu'elle excelle à faire rire, comprend son texte à la perfection et peut en rendre les nuances les plus subtiles. Mais essayer de l'en remercier, de le lui dire, de l'en féliciter, c'est parler à une chaise vide. Elle a joué dans deux de mes pièces et avec un succès éclatant. Tout le monde n'avait pour elle que des éloges. Mais, dès le rideau tombé, madame prend ses distances, c'est-à-dire qu'elle se retire dans le coin le plus reculé de la salle, où elle ne parle qu'à des intimes et, s'ils ne sont pas là, à personne d'autre. Essayez ce que vous voudrez pour l'en déloger, pour l'inviter à partager votre table en même temps que votre enthousiasme, vous en serez pour votre peine. Madame s'est retirée dans sa bulle et c'est tout juste si elle ne s'attache pas au cou une affiche disant : ne pas déranger. Quel dommage ! Quelle pitié, qu'une si puissante comédienne se mette ainsi en marge d'un groupe qui l'accueillerait avec assez de chaleur pour faire fondre son incompréhensible froideur. C'est peut-être la gêne, la timidité, mais il me semble que ça se soigne. Enfin…

Il y avait encore Jean-Pierre Masson. On peut bien en parler puisqu'il est mort et que ce que j'ai à en dire n'est pas bien méchant. En tout petit groupe et préférablement seul à seul, Jean-Pierre était un être délicat, poli, attentionné, bref un compagnon exquis. Il m'a écrit des lettres d'une drôlerie et d'une finesse rares. Quand il jouait, il n'était pas égoïste pour deux sous et ne cherchait jamais à voler la vedette à ses partenaires. Et il se donnait corps et âme à son personnage. Au point d'en mettre plus que nécessaire. Ce qu'il me fallut quatre ans à lui faire comprendre. Mais quand, à la cinquième année de *Faut divorcer*, il comprit enfin, il campa un Oscar inoubliable, parce que criant de vérité. Et le public oublia qu'il avait été Séraphin pour l'ovationner et lui redire combien il avait été excellent. Il rayonnait, parce que c'est ce qu'il avait voulu depuis la première représentation. Mais dès qu'il avait un auditoire et qu'il avait bu, il perdait complètement les pédales et pouvait se livrer aux pires pitreries, comme aux bêtises les moins pardonnables. On aurait dit qu'il se dédoublait pour ne laisser sortir que le pire de lui-même. Pour provoquer, peut-être? Mais au fond, peut-être davantage parce qu'il était un timide préférant passer à l'attaque plutôt que de rester sur la défensive. C'est dommage parce qu'il a sans doute laissé ainsi le souvenir d'un être parfois vulgaire et trivial, ce qu'au fond, il n'était pas. La dévotion avec laquelle il a soigné sa femme malade suffirait à prouver le contraire. La franchise avec laquelle il donnait la main à un ami et la tendresse du regard bleu avec lequel il l'enveloppait, montraient aussi un homme bien différent de ce qu'il laissait parfois paraître et infiniment meilleur.

Somme toute, et malgré quelques déceptions inévitables, comme dans n'importe quel métier, je dois avouer que cette aventure entreprise il y a plus de trente ans m'a apporté dix fois plus de joies que de peines. Les pires ont évidemment été de perdre trois de mes amis les plus chers. Yvan Canuel, Yves Dubé et Pierre Dagenais. À un degré un peu moindre, je dois ajouter que le décès de Jean-Pierre Masson, surtout dans les circonstances où il s'est produit, m'a beaucoup peiné. Plutôt que de partir seul dans une chambre de motel anonyme, combien il aurait mérité de mourir entouré de l'affection des siens.

Oui, ma vie d'écrivain m'a beaucoup choyé. Même la critique a été particulièrement bienveillante avec moi. Et les quelques fois où j'ai été étrillé ne sont en somme que l'exception qui confirme la règle. Surtout qu'une fois au moins, l'éreintement était mérité. J'avais reçu les morasses des *Trottoirs de bois* et, les relisant pour la dernière fois, une page me laissait perplexe. J'y racontais la conversation de vieux rentiers qui, réunis au magasin général, commentent l'accident de madame la mairesse. Elle avait chuté sur le trottoir de bois et s'était blessée gravement. Pour compliquer la situation, elle était enceinte et les bons hommes se demandaient comment elle pourrait continuer sa grossesse et faire ses besoins les plus essentiels encarcanée dans un corset de plâtre la recouvrant des cuisses jusqu'aux seins. Plutôt que de laisser le narrateur suggérer les propos des chroniqueurs, ce qui eût été infiniment plus fin et plus efficace, je m'étais laissé aller à un réalisme qui aurait scandalisé Zola lui-même. C'était scatologique, vulgaire et exagéré. Or,

Talleyrand affirmait que tout ce qui est exagéré est insignifiant… On a beau vouloir faire vrai et prêter à des analphabètes le seul langage qu'ils connaissent et qu'ils n'utilisent qu'entre hommes, par-dessus le marché, il y a des limites prescrites par le bon goût. Je les avais largement dépassées et, pour attirer l'attention de l'éditeur, j'avais tracé un point d'interrogation qui couvrait toute la marge du texte. Intrigué, Yves Dubé me demanda pourquoi. Je lui fis part de mes hésitations et des raisons qui les motivaient, mais il coupa court en me disant: «On ne corrige pas Rabelais. — Merci pour le compliment, mais nous allons nous faire éreinter.» D'un geste, il balaya les critiques derrière son dos et le livre parut tel quel.

La plupart des critiques firent mine de ne pas avoir lu la page en question, mais celui du *Devoir* la vit très bien. Et il se chargea de me faire comprendre qu'il l'avait fort bien lue. J'aurais évidemment préféré qu'il parle du reste du livre, mais cette page l'avait choqué au point de bâtir son papier sur cette unique base. La leçon m'enseigna de ne plus faire aveuglément confiance à un éditeur, même s'il est votre meilleur ami.

C'est d'ailleurs à ce titre que Pierre Dagenais me servit à son tour une critique plus virulente encore. Il m'écrivait toujours à sa vieille Underwood sur du papier 8¹/₂ x 14 un texte serré au maximum. Les trois quarts de la première page furent consacrés aux éloges. Très généreusement distribués d'ailleurs. Puis une série de X barraient la page d'un travers à l'autre. Fini les aménités, monsieur Bill! «Comment as-tu pu te complaire dans un pareil merdier?!!» Et suivent deux autres pages où il m'étrille jusqu'au sang. Et pour bien prouver qu'il n'est pas une nature sensible qu'une petite indélicatesse amène aux bords de la nausée, il précise que la merde ne le scandalise pas le moins du monde. À condition que la bouse ne tombe pas inopinément dans sa soupe. Ainsi, m'écrit-il, un personnage de Céline mange ses propres excréments. «Mais, précise-t-il, c'est un pauvre fou, un aliéné. Serait-ce ton cas?» Oui, le Pierre qui avait des lettres, beaucoup de lettres, savait s'en servir. Surtout quand il prenait l'habit du polémiste. Je lis donc le pamphlet comme un grand et me dis: voilà qui confirme ma première impression. Je range la lettre. Je l'ai toujours. Mais connaissant mon Pierre, je me dis: il doit maintenant regretter amèrement sa franchise. Il avait perdu assez d'amis à cause d'elle pour se dire que l'expérience allait se renouveler. Finie l'amitié! Envolées les belles soirées à prendre un verre, à bouffer des entrecôtes arrosées de Bordeaux! Et Nini, sa si charmante épouse, qui doit pleurer le manque d'indulgence de son bouillant cavalier... Je savais tout cela et comme je ne suis quand même pas un ange, je laisse mon poisson filer. On a bien le droit d'être un peu sadique, surtout quand on nous fournit un aussi beau prétexte. Donc je ne réponds pas à sa lettre, je ne l'appelle pas davantage. Un long mois passe avant que je ne retourne à Montréal pour mes affaires. Alors, faisant exactement comme si je n'avais pas reçu sa lettre, je l'appelle et l'invite à venir souper. Pas un reproche, même pas dans la voix. Pas une allusion. La gentillesse incarnée! Je sens bien qu'il se liquéfie au bout du fil, en pensant que je me fais mielleux pour mieux l'attirer mais, qu'une fois dans le piège, il va recevoir le savon le plus détergent de sa vie. Bravement, il me confirme qu'il s'amène. On prend un verre. On en prend un second. Toujours pas un mot du pamphlet. On s'attable, on mange, on sirote un verre de vin quand, n'y tenant plus, il s'écrie: «L'as-tu reçue? — Quoi? — Ma lettre, calice!» Le calice à la française, que Pierre parlait avec une telle facilité qu'on l'eût cru sa langue première. Mieux encore que Roux ou Bombardier. Plus naturel encore. «Mais oui je l'ai reçue! Je l'ai même lue. — Et alors? — Alors quoi? — Je t'en supplie, Bill (le Bill, comme dans bis-bille. Très pointu le i), cesse de jouer avec mes nerfs. Engueule-moi, retire-moi ton amitié, mais parle! Dis-moi que tu m'en veux, que je suis un ingrat, un imbécile. Tout cela est vrai, mais dis quelque chose!… — Je dis que tu as raison. — Et tu ne m'en veux pas?! — Pourquoi t'en voudrais-je d'avoir raison? Me prendrais-tu pour un abruti? — Et notre amitié? — Comme toujours, Pierre. — Franchement? — Mais oui, Pierre. Si un ami ne peut pas nous dire nos vérités, qui est-ce qui va le faire?»

Je sentis que je venais de lui enlever un poids de cent livres des épaules. Si nous n'avions pas été en public, je crois bien qu'il aurait pleuré de joie. En guise de, il me raconta longuement le remords qui avait commencé de le torturer dès qu'il eut déposé la lettre dans la boîte et constaté qu'il n'y aurait pas de retour à l'envoyeur. Les soirées où il s'était fustigé pour ne pas avoir été foutu d'avoir seulement la reconnaissance du ventre. Etc., etc. Il repartit le plus heureux des hommes pour aller enfin rassurer Nini. Et moi, de le voir si repentant, comment aurais-je pu lui en vouloir? Notre amitié n'en souffrit pas d'un atome, au contraire. Un an plus tard, il décédait. J'ai été la dernière personne en dehors de sa famille à lui parler et, l'émotion nous étreignant, nous nous sommes dit adieu en sachant très bien que nous ne nous reverrions

plus jamais. Dix ans après, je regrette toujours cet ami très cher, mais je me console
à l'idée que sans le caprice que j'ai eu il y a
vingt ans de quitter les affaires, je n'aurais
pas aujourd'hui le privilège de regretter des
amis de la qualité de Pierre Dagenais,
d'Yves Dubé, de Roger Garceau, de Jean-
Pierre Masson et d'Yvan Canuel.

Pourtant, à propos du même texte, qui
a fait bondir le critique du *Devoir* et Pierre
Dagenais, Paul-André Bourque interviewé
par Réginald Martel dit : «C'est quasi du génie humoristique cette séquence-là, cette façon de faire revivre les grandes discussions des
joueurs de dame du magasin général. Je ne
vais pas raconter tout le détail de ce qui est dit
là, mais c'est à hurler ! C'est raconté avec un
souci de l'écriture, un sens de la littéralité
vraiment exemplaires.» De là à dire qu'il y a
autant d'opinions que de critiques et que
chacun a raison ou tort… Cela en tout cas,
prouve qu'il est bien difficile de plaire à la
fois à son épouse et à sa belle-mère…

Je n'ai donc pas toujours été épargné
par les critiques, mais je dois ajouter que la

plupart du temps ils avaient raison. Quand ils n'ont pas raison, descendent une pièce pour une réplique mal venue, ou un livre pour une page malheureuse, on voudrait les clouer au pilori du ridicule avec une réplique imparable. Comme Guitry qui disait d'eux: «Ils sont comme les eunuques, ils savent comment ça se fait, mais ils sont incapables de le faire». Ou mieux encore, comme Courteline qui répondait à un scribouillard qui l'avait éreinté dans le journal de la veille et lui demandait avec suffisance: «Avez-vous lu mon papier? — Oui! Mais je dois vous avouer que je vous ai lu d'un derrière un peu distrait.» Le triomphe de l'esprit sur la matière!

Dire, comme certains, qu'on ne lit jamais les critiques, c'est mensonge et ça trahit justement le degré d'importance qu'on leur attache. Dire qu'une mauvaise critique ne fait pas mal, c'est se réfugier derrière un paravent trop peu opaque pour ne pas laisser voir le chagrin que ça cause. Particulièrement quand la critique est injuste. Quand elle est juste, il faut avoir l'humilité d'admettre qu'on a erré et s'efforcer d'en tenir compte pour la suite des choses. Parce qu'il est tout aussi faux de prétendre que les critiques sont des sadiques frustrés, qu'il est erroné de prétendre qu'on a écrit le chef-d'œuvre parfait duquel il n'y a rien à retrancher et auquel il n'y a rien à ajouter. «Vingt fois sur le métier remettez votre ouvrage. Polissez sans cesse et le repolissez. Ajoutez quelquefois, mais souvent retranchez.» Ces préceptes, vieux de trois siècles, n'ont pas pris une seule ride et n'en prendront sans doute jamais.

Pour clore là-dessus, je crois que la plupart des critiques ne demandent pas mieux que de dire le plus grand bien d'une œuvre qui le mérite et que ce n'est jamais de gaieté de cœur qu'ils éreintent un auteur, sauf si l'éditeur a publié un déchet. Mais alors, ils devraient plutôt fustiger l'éditeur qui a endossé cette nullité. Il faut encore reconnaître et se réjouir du fait que plusieurs de nos critiques aient une culture plus vaste que la plupart de nos auteurs. Ils ont généralement assez lu et possèdent un jugement assez sûr

pour faire la différence entre un bon livre et un ouvrage médiocre. Quant aux autres qui n'ont pas ces outils, ils devraient cesser de faire un travail qui dépasse leur compétence, se recycler là où leurs talents conviennent davantage et se convaincre que n'est pas Didier Fessou ou Jean Saint-Hilaire qui veut. Il faut avoir lu énormément et retenu presque autant pour atteindre à une aussi belle culture, ce qui n'est pas à la portée de tout un chacun.

Il y a enfin une autre raison pour laquelle j'aime écrire et c'est la passion que j'ai pour la langue française. Je ne la posséderai sans doute jamais à fond, mais ce ne sera pas faute de ne pas avoir essayé. À notre décharge, le milieu ambiant n'est pas idéal. Il faut parler pour se faire comprendre. C'est le but ultime de la langue. À moins de vivre continuellement dans un milieu cultivé où bien parler est naturel, il faut réduire le vocabulaire. «Parle pour te faire comprendre, le taon!» À moins donc de passer toute sa vie pour un frais-chié, il faut se mettre au diapason de l'interlocuteur. Forcément, la langue bien «perlée» en prend pour son rhume. De toute façon, il nous faut, pour parler correctement, traduire continuellement du québécois au français. Ce qui n'est pas un exercice facile. D'ailleurs, à moins de posséder sa langue comme un Jean-Louis Roux, il est préférable de rester naturel. Je me souviens trop bien des premières entrevues de nos sportifs des débuts de la télévision. On sentait à plein nez combien ces gens, sauf de rares exceptions, peinaient pour parler la langue de Radio-Canada. Dans la plupart des cas, c'était aussi pénible à voir qu'à entendre. Puis, grâce à Michel Tremblay qui a visé le passeport de notre parler vernaculaire, les choses se sont améliorées. À tout le moins, nous sommes revenus au naturel. La plupart de nos artistes qui avaient étudié en France, ont délaissé l'accent de la Capitale pour redevenir des Québécois fiers de l'être. Et c'est tant mieux! La mentalité de caudataires que nous avions et qui consistait à se faire les thuriféraires des cousins d'outre-mer s'est heureusement estompée. *Toute proportion gardée* est disparu des textes de nos critiques, en même temps que notre complexe d'infériorité. Nos artistes qui allaient chercher à Paris une reconnaissance capable de les imposer à leurs compatriotes sont devenus archaïques. Nos chanteurs et nos comédiens vont désormais en France sans traîner un interprète avec eux. Et les succès qu'ils y remportent année après année montrent bien qu'ils n'ont surtout pas à se sentir inférieurs à leurs homologues français. Alors, quand ce monsieur au prénom moyenâgeux nous accuse de parler comme au XVIIIe siècle, il ne s'en rend sans doute pas compte, mais il nous fait un fameux compliment. Il exagère sans doute. Ce serait en effet trop beau si nous parlions comme Voltaire ou Diderot, mais entre le franglais parisien d'aujourd'hui et notre parlure du XVIIIe siècle, je préfère celle-ci à celui-là. Si ce monsieur, Thierry Machin-Chouette, savait le début des difficultés que nous avons à parler français dans un bain de trois cents millions d'anglophones, il serait peut-être un peu plus indulgent. Inutile de dire que je préfère l'attitude de Michel Drucker en

entrevue avec Stéphane Bureau et distri-
buant des éloges manifestement sincères à
l'endroit des chanteurs québécois qu'il cô-
toie depuis deux décennies. Voilà un homme
qui a su faire la part des choses, ce qui est
la signature de l'intelligence. D'ailleurs, c'est
connu, les Français n'ont aucune oreille.
Une des grandes peurs de Marcel Pagnol
quand il présenta *Marius* à Paris était que
les Parisiens ne comprennent pas la parlure
du Midi. Il avait en partie raison et quelques constipés durs d'oreille s'offusquèrent
que l'on osât monter du patois sur une
scène de la Capitale. Pourtant, y a-t-il une
langue plus facile à comprendre que le
marseillais de Raimu ou de Charpin? Cela
devrait démontrer combien les Parisiens
(en tout cas, certains d'entre eux) manquent
d'oreille… ou de bonne volonté. Il est donc
normal qu'ils saisissent si mal les idiomes
de la francophonie qu'ils confondent inva-
riablement avec du sabir ou du pidgin.
Cela ne leur donne pas pour autant le droit
de nous traiter avec une condescendance
qui frise le mépris car, lorsque nous nous

appliquons le moindrement, nous parlons un français meilleur que le leur, ne serait-ce qu'en abusant moins des anglicismes et du franglais. En ne suivant pas non plus leur exemple exécrable de faire des passés définis avec les imparfaits, de mettre des accents circonflexes là où il n'y en a pas, de les enlever là où il y en a (*Côté* qui devient *Cotté*), de faire des *ins* avec des *uns* (*lindis*, par exemple), des *ans* avec des *ens* (*deman* au lieu de *demain*), de planter des *z* là où l'orthographe se contente d'un *s*. Ils ne se rendent même pas compte du ridicule qu'il y a à parler des *communistes* (ce qui est bien) pour enchaîner avec le *communizme* (ce qui est stupide). Etc., etc. Ils n'ont d'ailleurs aucun mérite à bien parler une langue qu'ils tètent au sein de leur mère. Même le plus butor des Français n'a pas d'autre choix que de bien parler sa langue. Il l'apprend en quelque sorte par osmose. Je vous en donne une preuve. Quand je fréquentais plus ou moins assidûment l'université de Montréal, je fréquentais avec assiduité le Café Continental, où les meilleurs artistes français se produisaient. C'est là que j'ai entendu Lucienne Boyer (bien vieillissante, la diva), les Compagnons de la chanson, Andrex. Une révélation, celui-là! Je l'avais vu au cinéma dans quelques films de Pagnol, jouant avec plus ou moins de bonheur les gouapes effrontées. Mais sur scène!, l'égal de Chevalier ou de Fernandel, que j'ai vus deux fois chacun vers la même époque. Quand Andrex chantait *Le Charme slave* ou bien *Je suis zazou*, on était forcé d'admettre que personne n'aurait pu le faire mieux que lui.

Or donc, il y avait deux jeunes Françaises au vestiaire du Continental. Une blonde sculpturale et une brunette pétillante. À force de leur remettre son manteau, on en vient à faire connaissance. Un jour, la brune me félicita de mon français (je m'appliquais, pensant que ça pourrait peut-être servir un jour…), je lui renvoie le compliment et, comme je la connaissais maintenant plutôt bien, je lui demande pourquoi elle ne ferait pas autre chose, qu'elle me paraît gaspiller un talent certain, etc.,

etc. Comme d'habitude, je tartine épais. Elle me dit qu'elle voudrait bien, mais qu'elle n'a pas d'instruction. On ne parlait surtout pas alors d'éducation pour parler d'instruction. Est-ce parce que nous avons maintenant un ministère de l'Éducation qui n'a jamais éduqué personne qu'on en est arrivé à nommer éducation ce qui n'est toujours que de l'instruction? Mystère. Mais je m'éloigne du sujet. La jeune dame me dit alors que, fillette au moment de la guerre, elle n'a malheureusement pu compléter plus de cinq ou six années d'études primaires. Puis, fatiguée de crever de faim, elle a émigré au Canada et accepté le premier travail disponible. Comme elle parlait bien, qu'elle était jolie, elle n'avait pas eu trop de difficulté à entrer au Continental. Elle n'en était pas moins pareille à certains musiciens qui jouent à l'oreille sans pouvoir lire une partition musicale, et avait appris, elle aussi, le français par oreille. Et elle le parlait impeccablement. Voilà la différence entre la difficulté de bien parler le français ici et là-bas. Ceux qui nous critiquent devraient en tenir compte un peu plus. N'est-ce pas, monsieur Ardisson?

Pour ce qui est de l'écriture, nous parlons à chances plus égales. Encore que dix ou douze siècles de culture constituent un héritage irremplaçable et qui nous manquera toujours. Sans compter la facilité pour un Français de s'imprégner à peu de frais de cultures voisines tout aussi riches que la sienne à moins d'une journée de voiture, ou de bateau. Cependant, le dictionnaire est le même, la grammaire, la syntaxe, la sémantique, l'étymologie pareillement. On peut donc écrire avec les mêmes outils qu'un Français. Comme lui, on peut vingt fois sur le métier remettre l'ouvrage et, si on ne peut pas aller jusqu'à la perfection, on peut au moins aller jusqu'au bout de son talent. Si vous avez en plus un éditeur consciencieux, un correcteur compétent, ils vous aideront à atteindre les limites de vos possibilités.

Exercice impossible dans une conversation, voire dans un discours, ou une conférence, à moins de lire son texte. Exercice qui gêne considérablement le lecteur, enlève le naturel à sa gestuelle, l'embarre dans un carcan tellement rigide qu'un texte autrement vivant devient une lecture d'autant moins réussie que le lecteur sera moins habitué à un exercice infiniment plus difficile qu'il n'y paraît à première vue. Pour quiconque aime sa langue, l'écriture est donc le meilleur moyen de lui témoigner son admiration, de la pousser dans ses recoins les plus tortueux, de la dépouiller de ses secrets les plus intimes. N'est-ce pas en définitive ce qu'on fait pour conquérir un être d'autant plus convoité qu'il est plus difficile à posséder? Et si ce n'est pas le cas pour la langue française, eh bien, je donne l'autre au chat!

Je précise encore ma pensée. La pensée, justement, est immatérielle et a besoin pour s'extérioriser de la parole qui, elle, n'est pas un concept mais une réalité émanant d'un processus physiologique qui n'est pas instantané. Le cerveau est constamment en action (l'idée travaille, disait Ovide), et le verbe en est l'amplificateur. Mais le verbe n'étant pas intemporel, il lui faut plus de temps pour s'accomplir que la pensée. La pensée peut donc être claire mais s'exprimer plus obscurément parce que le verbe une fois enclenché n'a plus le temps de la réflexion. Il n'y a pour s'en convaincre que d'entendre les gens dont la grammaire est boiteuse et la langue approximative. En écoutant par exemple la plupart de nos «éduqués». Comme tout le monde sans doute, ils ont des idées claires dans la tête, mais ce qu'ils doivent patauger et suer pour les énoncer! Le résultat est parfois à ce point approximatif qu'il faut deviner ce qu'ils n'arrivent pas à traduire. En désespoir de cause, ils empruntent la formule passe-partout: «Tu sais j'veux dire?» De là à le dire, il y a un monde…

J'ajouterai qu'au cours d'une conversation, la pensée elle-même est empêchée d'évoluer normalement. Le son même de la voix la gêne. À telle enseigne que lorsque que quelqu'un vous raconte comment, au cours d'une discussion, il a remis son interlocuteur à sa place (j'y ai dit ceci, j'y ai dit cela), il ment. Plutôt de rappeler les termes précis qu'il a utilisés, il raconte ce qu'il aurait dû ou voulu lui dire. Et s'il en reparle, c'est précisément parce qu'il regrette de ne pas avoir été à la hauteur. En reprenant la scène et en l'améliorant, il se console un peu de la belle occasion qu'il a laissé filer.

Il ne devrait pas se désoler parce que même pour celui qui possède tous les outils, le dialogue parfait est une tâche pratiquement impossible. Pour demander les choses usuelles, pour causer de généralités, ça va, mais pour cerner un problème complexe et l'expliciter de façon adéquate, c'est une tout autre affaire. Même pour le causeur le plus disert, la conversation est donc une aventure pleine d'embûches. Particulièrement quand on s'embarque dans une période farcie de circonstancielles. On risque alors de perdre le fil (surtout à mon âge), on risque d'écorcher la grammaire, on risque de s'embrouiller et surtout d'embrouiller l'auditeur.

À ce sujet, j'ai toujours été émerveillé par la clarté, la précision, la fluidité et l'aisance de de Gaulle quand il donnait une de ses rares conférences à la presse française. Quelle maîtrise! Jusqu'au jour où j'ai lu que ses propos, apparemment à bâtons rompus, étaient soigneusement préparés à l'avance et que, même les questions étaient précisément sériées, de façon à ce que personne ne puisse surprendre le grand homme garde baissée. Donc, même un artiste de la langue souverainement intelligent, n'osait courir le risque de la spontanéité qui aurait pu le diminuer face à la France éternelle.

Ce qui revient à dire que le meilleur moyen, peut-être le seul moyen, d'utiliser la langue en sa rapprochant le plus possible de la perfection, c'est encore l'écriture. On a alors le temps de penser avant de jeter le matériel brut sur le papier. Ensuite, on peut raturer, corriger, peaufiner et préciser jusqu'à énoncer convenablement le concept suggéré par l'esprit. C'est là sans doute, la raison principale pour laquelle je préfère l'écriture à toute autre forme d'expression. Parce qu'alors, j'ai l'impression d'exprimer entièrement ma pensée et de ne dire que ce que je veux bien dire. Si, le cas échéant, je constate avoir écrit une connerie, je peux la laisser courir et vivre avec les conséquences, ou, préférablement, la faire disparaître. Ce qui n'est pas le cas au cours d'une conversation; ou pire, d'un discours ou d'une conférence.

En achevant ce tour d'horizon, je dois avouer que je n'aime pas les salons du livre. Je les trouve très bien pour le public lecteur qui peut ainsi mesurer l'importance de notre production et sa variété, s'imprégner quelques jours durant de l'esprit du livre, se laisser tenter par quelques titres, initier ses enfants à un loisir éminemment valable, connaître quelques auteurs, bref, sortir des sentiers rebattus de l'inculture. Si j'y vais incognito, j'éprouve les mêmes satisfactions que tout le monde. L'an passé, j'ai ainsi pu féliciter le caricaturiste du *Soleil*, rencontrer Lionel Duval, connaître Claude Jasmin et Léandre Bergeron. Une expérience enrichissante! Mais quand il s'agit d'y figurer, c'est une tout autre histoire. De me voir derrière le comptoir d'un kiosque, me donne l'impression d'une putain d'Amsterdam étalant ses charmes dans une vitrine. Cela m'emmerde considérablement et je ne le fais que pour être agréable à un éditeur qui se dévoue pour moi et paie mes dépenses par-dessus le marché. C'est bête, dira-t-on, mais c'est ainsi.

Et le plus pénible reste encore les entrevues, particulièrement à la télévision où on nous fait l'aumône de quelques minutes durant lesquelles on n'a même pas le temps d'aborder décemment le sujet. Et dire qu'on donne aux journalistes sportifs le temps qu'il faut pour nous décrire en long et en large les états d'âme et les bobos de nos pousseux de puck poussifs… Et c'est encore pire quand on recueille nos propos pour la radio. Alors on a tout le temps qu'il faut pour ne rien dire. Pour la simple raison que l'immense majorité des vedettes qui daignent nous interroger, n'ont pas eu la décence de lire le livre dont il est question. Ils ont la bonne mais trop facile excuse qu'ils n'ont pas eu le temps, le livre venant de sortir, de le dévorer. Mais ceux qui ont été écrits cinq ans, dix ans auparavant? Ils promettent, bien sûr, de le faire dans les jours qui viennent, mais qu'est-ce que ça peut crisser aux auditeurs qui attendent quelque chose qui ne vient pas parce qu'il ne peut pas venir? En attendant, les questions sont parfois à ce point insignifiantes qu'il faudrait être un saint pour répondre charitablement. Ce que je ne suis surtout pas. De sorte que, parfois, mon impatience est trop visible et mon sarcasme trop mal contrôlé. En fait, j'ai eu dans ma vie quelques entrevues avec des gens qui ont le respect de leur métier et qui, par voie de conséquence, respectent leurs invités: Roger Baulu, Jean Brisson, René Homier-Roy, Robert Blondin. Ces professionnels chevronnés (c'est ce qui les distingue des autres), s'étaient fait un devoir de lire le livre à propos duquel ils me questionnaient. Ce fut un enchantement, en tout cas pour moi, et je l'espère pour les auditeurs également. Si des professionnels d'une telle qualité s'imposent cette discipline, il me semble que le bon sens et le savoir-vivre devraient dicter les mêmes exigences à des débutants qui bredouillent leur noviciat de journalistes. Ils risqueraient moins de se faire dire qu'ils ne savent pas de quoi ils parlent.

Par ailleurs, j'aime bien les lancements. C'est tellement plus intime, plus convivial. Une fois l'auditoire dégêné, les questions, certaines parfois tellement imprévues et éclairantes, fusent, et un échange s'établit qui m'enchante et plaît, je crois, beaucoup aux gens qui m'honorent de leur présence. J'ai beau fouiller dans ma mémoire, je n'arrive pas à me souvenir d'un seul lancement où je ne me suis pas beaucoup plu et amusé.

Enfin, comment j'écris? Avec un stylobille. Cela peut paraître une boutade de mauvais goût, mais c'est la réalité. J'ai toujours été trop paresseux pour apprendre à me servir d'une machine. D'ailleurs, les messieurs du cours classique laissaient cet exercice fastidieux aux prolétaires du cours commercial. Résultats, rendus à l'université, il fallait faire copier ses thèses par une secrétaire et, bien entendu, la payer. Plus tard, les secrétaires se chargèrent de ma correspondance. Plus tard encore, ma sœur assuma ce travail ingrat. Enfin, quand elle ne fut plus en mesure de le faire, un ami doté d'un ordinateur a continué. Quant à domestiquer moi-même ce merveilleux instrument, je n'y ai même pas songé. Trop vieux, trop allergique au modernisme et surtout trop paresseux. Je veux bien trouver toutes les vertus qu'on voudra à cette technologie nouvelle, mais de là à en devenir un utilisateur enthousiaste, il y a une marge que je ne franchirai jamais.

Il y a une autre raison à cela, et c'est sans doute la principale. Il y a un rythme dans l'écriture et, en écrivant manuellement, je peux le maintenir. C'est-à-dire que la main peut généralement suivre la pensée. Quand les idées affluent trop vite, je griffonne une note dans la marge de façon à pouvoir y revenir. J'écris également à chaque deux lignes de la page. Ainsi, je peux, la plupart du temps, corriger mon texte sans avoir à le réécrire. Toujours la paresse… Et au diable le papier gaspillé. Je ne fais pas non plus de plan. Pour la simple raison que ce sont les personnages qui mènent le jeu. Vouloir les corseter dans un mouvement préétabli ne marche pas. En tout cas, pas pour moi. J'ai déjà essayé mais j'ai vite abandonné. La pensée est volage, l'imagination est la folle du logis, et je n'ai jamais eu l'intention de leur passer la camisole de force. Par ailleurs, le dictionnaire est toujours à portée de main. Pour vérifier l'orthographe d'un mot et surtout m'assurer qu'il veut bien dire ce que je veux exprimer. C'est ainsi, entre mille exemples, que j'ai découvert un jour que morfondu n'avait pas la signification que les Québécois lui prêtent habituellement, c'est-à-dire exténué, à bout de forces, mais que, venant de *morve fondue*, il veut plutôt dire transi de froid. La même chose pour chenu qui signifie pauvre, maigre pour la plupart des Québécois, alors qu'en réalité, ça veut dire blanc. Une tête chenue n'est donc pas une tête chauve, encore moins une tête vide. Pour raturer et rendre la lecture plus facile à mon copiste, j'emploie un crayon feutre noir. Plus facile ainsi. Il n'a qu'à écrire ce qui n'est pas noirci. Au début, étant un oiseau de nuit, j'écrivais après le bulletin des nouvelles de onze heures, mais j'ai réussi à normaliser les choses, de sorte que j'écris en après-midi de quatorze heures à dix-sept, exceptionnellement à dix-huit. C'est qu'alors, je suis trop inspiré pour m'arrêter. Je réserve la fin de la soirée pour la lecture.

Et qu'est-ce que je lis? Depuis ma retraite, à peu près exclusivement de l'histoire, sauf pour les quelques livres qu'un ancien confrère de classe me fait parvenir chaque année: *Le Parfum* de Suskind, *Les Dix mille Marches* de Bodard, *L'Empire immobile* de Peyrefitte, *La Vie devant soi* de Ajar-Gary, *L'Île du Jour d'avant*, *Le Nom de la rose* de Eco, la biographie de Bodard, celle de Hugo par Decaux, et mon préféré, *La Billebaude* de Henri Vincenot, un livre d'une saveur incomparable. Et d'autres encore, dont *Les Champs d'honneur*, admirablement écrit. Alors pour le remercier de façon intelligente, il faut bien que je les lise. Mais, en dehors de ces cadeaux d'amis ou de parents, je ne lis plus que de l'histoire.

Pourquoi? Parce que j'en suis rendu à croire que les meilleurs romans, c'est encore l'histoire qui les écrits. Existe-t-il un romancier assez inspiré pour créer un héros plus extraordinaire que Napoléon? Stendhal ou Balzac ont-ils inventé des personnages plus perfides, plus complexes, puis puissants que Talleyrand ou Fouché? Est-il une histoire plus exaltante et plus décevante à la fois que la Révolution française? Et quel auteur pourrait réunir en un même lieu, à une même époque, des figures aussi sinistres que Robespierre et Saint-Just, en même temps qu'aussi pures? Quel romancier pourrait améliorer la chevauchée d'un Saladin ou d'un Gengis Khan? Y a-t-il un livre qui ait pu surpasser dans ses protagonistes la grandiose folie des kamikazes de la dernière guerre mondiale? Y a-t-il un héros de cape et d'épée qui ait eu une vie plus aventureuse et plus valeureuse que Churchill? Shakespeare a-t-il, dans la démence de ses personnages, imaginé des monstres plus complets que Staline, Hitler, Pol Pot ou une brute plus mystique qu'Henri VIII? Y a-t-il eu dans toute l'histoire de la littérature un destin plus riche que celui de Lincoln? Est-ce que *Le Prince* de Machiavel pourrait apprendre quoi que ce soit à un Richelieu ou à un Bismarck? A-t-on déjà mis entre la couverture d'un livre un personnage plus retors que Metternich? La chevalerie a-t-elle adoubé un héros plus pur que Cambronne? Et un souffre-douleur plus achevé que le maréchal Berthier? Y a-t-on vu un arriviste plus acharné que Napoléon III? Ou plus fou que Murat? Ou plus naïf que Ney? A-t-on déjà vu un écrivain anéantir un de ses héros plus implacablement que les Français ont vomi Lamartine qu'ils avaient porté la veille au pinacle de la popularité? Non, l'histoire est et demeurera la plus formidable des romancières.

Une autre raison, si celles-là ne suffisaient pas, pour renoncer au roman? La crainte, en lisant les plus grands, de ne plus avoir le courage de prendre une plume pour ajouter mon modeste chapitre aux merveilleux romans de la littérature universelle. La tentation serait trop forte en relisant un *Kim* de Rudyard Kipling ou une *Voie Royale* de Malraux, ou une trilogie de Pagnol, ou un *Colas Breugnon* de Rolland, ou un *Capitaine Conan* de Vercel, ou *Un Amour de Swan* de Proust ou *Les Clés du Vatican* de Peyrefitte, de remiser mon stylo une fois pour toutes, pour me contenter à jamais de lire tous ceux qui infiniment mieux que moi savent trousser une histoire. Et comme j'ai toujours la piqûre, je continue en fuyant les sujets de découragements…

J'écris dans ma bibliothèque, face à mon lac et à mes montagnes. Inspirant! La bibliothèque étant située à l'extrémité d'une grande maison, l'épouse bien-aimée peut vaquer à ses occupations, recevoir, sortir, bref, faire ce qui lui plaît sans me déranger le moins du monde. Pour plus d'ambiance, j'aime bien écrire avec de la musique classique en sourdine. Si, par hasard, la moitié besogne à côté, le bruit de sa machine à coudre est alors à peu près inaudible. Et comme elle aime la belle musique autant que moi, nous profitons tous deux du génie de Bach ou de Beethoven. Moi, dans l'espoir que leur prodigieux talent déteindra un peu sur moi. Elle, je n'en sais trop rien… J'écris également à partir de novembre. Au début, à cause de la chasse que je faisais chaque année. Maintenant que quatre de mes amis chasseurs, incluant Canuel, sont partis vers les vastes prairies éternelles et que les autres ont donné leurs fusils à leurs fils, je regarde les orignaux passer sur des voitures qui ne sont pas la mienne. J'entre donc en écriture plus tôt qu'autrefois. J'écris très rarement l'été parce que je suis toujours incapable de m'imposer quatre heures de cloître quand la nature se fait belle et caressante. Il faut que je bouffe de l'air pur et je ne m'en prive surtout pas. Mais quand les feuilles disparaissent, que le froid s'amène, que la neige blanchit le paysage, j'éprouve le besoin de noircir du papier, et j'y succombe avec volupté. Au début, disons les deux premières semaines, c'est plutôt pénible. N'ayant pas la fesse très coussinée, il me faut un certain temps avant de me sentir confortable dans mon fauteuil. Mais une fois cette période d'adaptation passée, je n'éprouve plus qu'une satisfaction, je dirais, presque charnelle.

Voilà! Maintenant, vous savez tout et le reste, je me le garde pour moi… Oh, j'allais oublier! Quand j'écris, je fume la pipe à peu près sans arrêt. Comme Simenon faisait. C'est hélas tout ce que je fais comme lui… Je me distingue toutefois en fumant du Canayen: Obourg, Quesnel, Petit-Canadien, que je mélange dans de grosses jarres de grès. Si Simenon avait tâté une fois de cette mixture, il aurait vite jeté ses petits tabacs dénués de caractère dans le lac Léman!

Du même auteur

Paul et Malice
Qu'est-ce qu'on va faire avec?
Comme ça tu te sépares?
Faut fêter ça
Oh mes vieux!
Charmants voisins
Maudite vieillesse, sacrée jeunesse
Faut que j'vous dise